JN098201

本郷孔洋の

経営ノート2020

～バランスシートで稼ぎなさい～

TOHOSHOBO

はじめに

――両利きの経営

拙著、経営ノートシリーズも、ダラダラと今年で一〇年目になりました。

自分でいうのも何ですが、ホントに内容ないな！　書きながら、自責の念にいつも囚われます。

でも、恥の上塗りついでに、今年も書きます。

テーマは、「バランスシートで稼ぎなさい」です。

そして、喫緊のテーマは、ズバリ「転地」です。

これは、

「既存モデルのシェイプアップをしながら、新事業立地を開拓する」

という両利きの経営です。

恥ずかしながら、弊グループの取り組みもこのテーマに沿って同時並行に進めています。


では、その成果は？

その話は聞かないでください(笑)。

言うは易しですね。しみじみそう思います。

ですから、拙著は、失敗の恥ずかしの書でもあります。


――バランスシートで稼ぐ!↓いつやるか?今でしょ!


「いつやるか?」

「今でしょ!」

私は単純ですので、早い者勝ちだと思っています。

――バランスシートエコノミー

今年のメインテーマは、**経済学お前もか?**です。

考えてみれば、ビジネスもバランスシート経営なら、マクロの経済だって、バランスシートで見ないと、わからない?

私の屁理屈かもしれませんが、私は真にそう思っています。

ですから、経済も、バランスシートエコノミー(私の勝手な妄想です)を無視しては、語れないのでは？

バランスシートエコノミーは今年度のニューデビューです（良かった、ネタがあって）（笑）。

門外漢が何言うかと怒られそうですが、敢えて書きました。

――転地

儲からなかったら転地しろ！

私は、過去の経営ノートで、「本業は見せ球、決め球は、別の商品」としばしば書いてきました。

理想は、決め球と見せ球の区別がつかない！

理想的な野球のエースです。

私のイメージとしては、本業の商品が儲からなくても、サービス、金融で儲ける。

例えば、

「本業の商品を売り切りから、レンタルに変える。

すると、商品では儲からなくても、レンタルの金利が収益を生む」

「配送の会社が、修理等サービスを付加して稼ぐ」

こんなイメージでした。

飛躍しますが、今流行りのサブスクモデルだって一種の目くらましと言ったら怒られるかしら。

私の思い込みはこうです。

でも中途半端でしたね。

「モノはデフレ、サービスはインフレ、低金利は、それ以上の金利を稼げば儲かる」

やはり、決め球そのものを変えなければ、生き残れない。ですから、新事業立地の開拓が喫緊です。

つまり転地です。

――私の失われた七年

日本は周知のごとく、バブル崩壊後、失われた二〇年を経験しました。

政府の無対策もデフレを長引かせたんでしょうね。

その間に、中国を筆頭に新興国がえらい勢いで成長しました。

国も企業も一緒です。

そんな大きな話ではないのですが、私の無策で、弊グループも失われた七年が過ぎようとしています（二〇一九年末現在）。

これは、決定的な私の戦略の読み違いでした。

弊社（税理士法人）、弊グループのビジネスモデルは、従来からまず規模を追うという方針でした。


これは、開業以来一貫したテーマです。

「成長しなければ死んでも同然」と思ってやってきたんですね。

でも、世の中の変化を見間違えました。

日本が成熟したにもかかわらず、新興国モデルを追いかけたんですね。

でも、成熟国モデルは、規模より、付加価値です。

言い換えますと、付加価値がない規模の拡大は、命取りになります。

ああ、バカなわたし！（笑）

付加価値＞規模

前述したように、国が成熟してくると、付加価値あっての規模ですね。

利益を無視した規模の拡大は、命取りになります。

すると、成熟国対応の戦略が必要です。

単純に言えば、
①利益のある商品の開発、提供
②参入障壁を高くする仕組みの開発（ライバルが参入しにくい）
③総合より、カテゴリー一番の商品をどれだけ持てるか？

経済学で考えない

付加価値経営は、経済学で考えないで、心理学で考える。そして、**価値の複数化**です。

これも鉄則です。

私は、過去に「ライザップ」モデルに感心した記憶があります。

ご存じのように、ライザップは高いトレーニング料です。

高い料金設定⬇お客さんは、やめたら損すると思う⬇トレーニングを続ける⬇結果にコミットする

価値の複数化も大切です。

美味しいだけでは普通で、これだけでは不十分です。

それに、インスタ映えの「美しい」等を加えないとお客さんが来ません。

――ビジネスモデル

私の新しいコンセプトは単純です。

1 利益率の高い商品を取り扱う。

2 つまり、付加価値（粗利）の高い商品です。

3 すると、金融をからませないと無理ですね。

4 やっぱり成長マーケットを狙う。

5 人も少数で済むビジネス。

極めて虫のいい考え（笑）。

こんなモデルを探して、「母をたずねて三千里」「付加価値を求めて三千里」。こんな気持ちです。ウソです(笑)。

――二冊の本

実は昨年、二冊の本に出会いました。

一冊は、エコノミストのリチャード・クー氏の『「陰」と「陽」の経済学』(二〇〇七年、東洋経済新報社)。もう一冊は、企業経済学が専門で神戸大学教授の三品和広氏の『高収益事業の創り方(経営戦略の実践(1))』(二〇一五年、東洋経済新報社)です。

お二人とも少しはかじっていたのですが、単行本をちゃんと読んだのははじめてでした。

リチャード・クーさんは、周知のようにバランスシート不況で有名なエコノミストで、今、「海外中銀で引っ張りだこ」だそうです。

あのバーナンキ元FRB議長も『「陰」と「陽」の経済学』を読んでいたとか(35ページ参照)。触発されました。

マクロ経済だってバランスシートで考えないと、見間違える。

私も単純で、この本のメインテーマにしました。

今、私の関心は、次のテーマです。

①バランスシート経済学（マクロ）をいかに実践、ビジネス（ミクロ）に落とせるか？
②喫緊のビジネスのテーマは、事業立地の新開拓です。
転地が必要！
③そして、新しい、西部開拓史。いいね！ワールドでの、ビジネス展開です。
昔、「豊島区の歴史は西武開拓史であった」というキャッチがありました。

そのデンでいけば、いいね！ワールドへの「新西部開拓史」が、急務の課題です。

先手必勝です。


さてさて、10年目の本にしては、内容が乏しいなと深く反省しつつ、懺悔の本にもかかわらず、私に付き合っていただいた、本書の読者の皆さんに感謝いたします。

でも、毎年の経営ノートは、**私のチャレンジを実践する場**の本でもあります。

皆さん一緒にやりませんか？

失敗するかもしれませんが（笑）。

いつもながら、東峰書房編集者の出口雅人さん、また、弊社の 黒沢 翔さんに大変お世話になりました。

この場をお借りして御礼致します。
謝謝！

二〇二〇年二月　本郷孔洋

[経営ノート2020] 目次

第一章

中小企業の痛点

一・このままでは、中小企業は無くなる！

本文に入る前に。

――トリガーポイント

中小企業の痛みは、私は**痛点（トリガーポイント）＊**だと思っています。

痛いところは一つですが、実はその原因は多岐に亘っていると思っています。

この痛みを取ることは、容易ではありませんが、マスト（must）なことです。

＊痛点（トリガーポイント Trigger point）とは、圧迫や針の刺入、加熱または冷却などによって関連域に関連痛を引き起こす体表上の部位のことである。トリガーポイントは単なる圧痛点ではなく、関連痛を引き起こす部位であることに注意が必要である。そのため、発痛点とも呼ばれる。（ネットより）

――中小企業は半減以下に？

私は、このままでは、中小企業が半減以下になると考えています。
その理由を列挙しますと、
・地方は、人口減、若者減でアウト！
・人が集まらない。
つまり、人で立ち行かなくなる！↓定着しない、集まらない、逃げられる。
・低付加価値、低生産性！
・ＩＴ化（デジタル化）の遅れ！
・そして、〝後継者問題！〟

――地方は、人口減、若者減でアウト！

自分の業界の例で恐縮ですが、会計業界のお客さんが、近未来（私は一〇年以内と思っていますが）、三分の一になると考えますとゾっとします。

昨年でした。私の若いころからのお客さんが亡くなりまして、弔問に自宅へお邪魔した時の体験です。

私の故郷の会社でしたので、駅を出て大通りを通りましたが、日中なのに誰も歩いていないのです。

二〇年前ですが、「地方の商店街で、やくざが、ピストルを発砲したのに、誰も死ななかった」なんて冗談のような話を聞いていましたし、シャッター通りの話は誰でも知っています。

でも、久しぶりに通ってみますと、まざまざと実感しました。

私の故郷は、岩手でもそんなに小さな町ではないんです。

でも、そうなんですね。

これでは、店舗の無人化以前に、店舗そのものが無くなってしまいます。

その地域には、弊社の出先がありますので、聞いてみたら、「お客さんの多くが、毎年平均一割ずつ売り上げが減る」との返事でした。

いまさらと思うでしょうが、考えましたね。

この勢いで行ったら、一〇年以内に、会計業界（主に税理士の業界ですが）の**マーケットサイズは、アバウトですが、三分の一**だなーと。

そうですよね。人口減、若者減で、胃袋の数だけでなく、胃袋の容積も小さくなれば、地元だけでやっている限り、手を打たなければ、その会社の将来性はないですよね。

――人が集まらない

もう一つ昨今の採用難も大きな問題です。

このまま行きますと、中小は**「人で立ち行かなくなる！」**

「定着しない、集まらない、逃げられる！」

これは、ある経営雑誌のキャッチです。

その通りです。

打開策は、発想そのものを変えることです。

――低付加価値、低生産性！

これも問題です。

重労働、長時間が当たり前ですものね。

家族労働ですと、家族に負担もかかりますしね。

私も両親が小さな商売をやっていましたが、早い時間に食事をしたこともなく、親父の姿を家で見たこともありませんでした。

もう六〇年以上前の話ですが、それでも、定時に食事できるサラリーマンの家庭を羨ましいと思ったことを覚えています。

だから、長時間労働に私自身は違和感がないのですが、でも時代が違いますよね。

ＩＴツールも発達していますし、やれば、この問題は解決できると私は思っています。

――ＩＴ化（デジタル化）の遅れ！

企業規模が小さくなっているのに比例して、ＩＴ化が遅れているというサーベイがありました。

納得しましたね。

まず、隣のＩＴです。

大きく考えなくても十分対処可能です。

昔、私はＩＴ（アイティー）をit（イット）と呼んで笑われました。

でも、「it それ」の方が現実的です。

It's IT.

身近なＩＴです。

ＩＴは、平凡を非凡にしてくれる！

これは、私の好きな言葉です。

――そして、〝後継者問題！〟

これは、私がグダグダいう話ではないですね。
身近な医院が、廃業していくのを見ていませんか？
後継者は、息子さんでも娘さんでもお医者さんになるんです。
立派な後継者候補がいるんです。
でも、医院を継がない？
何故？
「俺は親父みたいにあんなに働きたくない！」
これが、医院を継がない理由としますと？
私は、医院の閉鎖を聞くにつけ、これは、象徴的な話だなーと思っています。

二・解決策私案

喫緊の対策ですが、以下の解決案を考えています。

①求人は、外国人雇用も視野に入れる

②研修→速習

③ＩＴ化・無人化・ex）ＲＰＡ

④付加価値業務へのシフト

――なんで日本人じゃないとダメなんですか？

私的には、もう日本人のスタッフだけでは、もたないと思っています（日本人にこだわる気持ちはわかりますが……）。

人手不足とは、考えてはいけません。平成生まれ以降は、日本人はみな貴族です。

親の所得に関係ありません。一人っ子を何人で面倒見るのですか？

親、両方の祖父母、それに叔父、叔母も面倒見るかもしれません。

平安貴族は、手を動かしましたか?

女性を追っかけるか、貝合せや双六をしていました。

平成貴族、令和貴族だって同じです。

3Kと言われる職場や、中小企業には行きません。だって貴族ですよ(笑)。

(カッコいい会社や、大企業は決して採用に困っていません)

でも、在留外国人は、採用できます。

私のつたない経験でも、優秀な人を採用できます。

私の親しい会社で、ベトナムの理系の学生を中小企業に紹介しているところがあります。

絶対、日本人では応募してくれない、電気工事業とか、自動車整備業とかに、斡旋しています。

日本語のスキルは、技術者ですから、あまり要りません。

身近でもこんな例が多々出てきました。

――一歩進んで!→三兆円市場を取り込め!

外国人雇用だけでなく、在留外国人向けのビジネスが広がっています。

その市場規模は三兆円と言われています（「受け入れビジネス　３兆円市場を失うな」『日経ビジネス』二〇一九年八月一九日号、日経ＢＰ）。

不動産、飲食、金融、生活は日本ですから、あらゆるビジネスが展開できます。

私の知っている住宅メーカーの社長は、「人口減なんて関係ない、在留外国人に住宅を売ればよい」と言っています。

住宅ローンもつきますしね。

東京都内のマンションは、かなりの在留外国人が購入しているそうです。

在職証明がありますと、ローンもつきますしね。

――早く即戦力に

それには、速習が不可欠です。

やりようによっては、速習で、即戦力化は可能です。

寿司屋だって、ラーメン屋だって、速習の学校がある時代です。

今の時代、三年も包丁砥ぎなんかさせたら、親方がその包丁で、刺されますよ（笑）。

画像での研修も、速習の強力な武器です。画像研修をすると、先生よりうまい研修生が多々あるそうです。

ごまかしがききませんものね。

私は、飲食のバイトの経験がある人を優先して採用した方が良いと思っています。サービス業は、笑顔ですよね。

なんで、こんな面白くない顔をしてんだろうと思う表情の人も日本人には多いしね。

――ＩＴ化

弊社もＲＰＡ化（無人化）に取り組んでいます。

効果がありますね。

私は、事務職が、ＩＴにとってかわられる時期が意外と早いと思っています。

私たちが**「仕事」**と思っているうちのかなりの部分は、**「作業」**です。

作業は、大部分機械に置き換わると思います。

前述しましたが、ＩＴ化をあまり高度に考えないでください。

隣のＩＴです。

単純ですが、

・クラウド化
・チャット化
・エクセル化
・グループウエア化

これらを導入しますと、かなり効果的だと思います。

デジタル化は、一部の技術者だけでなく、全員使えないと意味がありません。今話題の会社ワークマン（作業服チェーン最大の会社）の秘密兵器がエクセルだといいます（「破竹のワークマン 秘密はエクセル」、『日本経済新聞』、二〇一九年七月九日）。

記事を抜粋しますね。

「原動力は会社が進めたデジタル化。入社2年目から研修を徹底し、エクセルの「関数」は必須スキルだ」

「営業担当者はiPad片手に独自の分析ソフトを駆使し、地域ごとの売れ筋商品や販売ピーク月をデータベースから導き出す。改革の効果が顕著に表れたのが、需要予測の高度化だ」

「データ分析力は部長昇進の条件」

「高度なAIよりも、因果関係を理解できるシステム（エクセル）の方が使いやすい。社員全員で使いこなすことが重要」

要するに**「身近なデジタル化」**です。

これがうまく進めば、コストを下げられます。私は、二割は削減できるのでは、と思っています。

理想的には、二割削減。人員の余剰ができたら接客に回せる、と思っています。

三．付加価値業務へのシフト

――安売りを止めること

なあんて書きますと、大げさですよね。
要するに安売りをやめることです。
コストも見直してください。結構無駄があります。
そして、お客さんの**『財布の色を変える』**ことです。
財布の色が違いますし、財布の中身が違います。
地方は前述したように、手を打ちませんと、売り上げは自然に下がります。
ですから、商品を増やすか、隣地拡大してください。
詳しくは、別の章で書きます（第四章参照）。

――そして、一番重要なこと！→若手の登用と大幅な権限移譲

気が付くと、会社は老齢化しています。

年寄りが偉そうな会社に明日はありません。

「日本の戦後復興はなんで可能だったか?」

私の答えは簡単です。

色々意見がありますが、私は、戦前の経営者が戦争責任で一掃され、三〇代の人たちがトップになり、頑張ったからだと思います。

経験が役に立つのは、既存の社会が、変化がなく続く時だけです。

今の時代のように、大変化の時は、まったく役に立たないどころか、経験がマイナスになることさえあります。

大変革期の今、行動力のある若手の登用は喫緊だと思いますね。

でも若手の登用にも軸が必要。

ただ、若手を登用すればいいというものでもありません。

その中で軸を作る、これは、若手登用の鉄則です。

第二章

経済もバランスシートの発想を！

一・バランスシート経済学（マクロ）をいかにビジネス（ミクロ）に落とせるか？

――私はハラオチが遅い人間

・バブル崩壊後、まだ十地神話を信じていた。↓ハラオチ 一〇年
・バランスシート不況。↓ハラオチ 一五年
・新事業立地の開拓。↓ハラオチ 五年

私はバカで、実は納得するまで、とても時間がかかります。

最近でも、インバウンドブームが来る前、知り合いが京都のホテル用不動産を手当しまして、ブームが来た時に稼働させました。

その話を聞いてはいたのですが、ボヤっとしていて、ハラオチしたのは、二、三年後でした。

また、「ユニクロは買い」なんて、大分前の話ですが、ユニクロさんが少しリセッションした時、書いたメルマガですが、自分では買わなかったんですものね。

能書きは後から宅急便です。後でハラオチしてもツーレイト（too late）（笑）。

つくづく、私はビジネスセンスがないと思っております（ビジネスは時間が勝負ですものね）。

――バランスシート不況

さて、古い話ですが、日本のバブル崩壊後、まだ土地神話を信じていずれ上がると思っていました。

土地神話が崩壊したなとやっとハラオチしたのが、バブル崩壊後一〇年は経っていましたね。

当時、リチャード・クー氏が、バランスシート不況＊（『デフレとバランスシート不況の経済学』、二〇〇三年、徳間書店）を言ってまして、ベストセラーでもあり、読んだ記憶があります。

でも、当時は読んでもピンと来ず、理解できませんでした。

唯一覚えているのは、

「野村証券のロンドン支店にクーさんが行ったとき、あるスタッフが泣いていた」

彼女の直属のとても稼ぐ上司（ディーラー）が会社を辞めたので、これから私のボーナスが減ると言って泣いていたんですね。

これは私にとって新鮮でした。

当時日本は平等主義で、稼いでも稼がなくてもあまりボーナスに差がない時代でした。「稼ぎに応じて、ボーナスを出す」この本から、こんな時代が来るな！　なんて当時思った記憶があります。

＊【バランスシート不況】
資産価値が暴落するなどして債務超過（バランスシートがつぶれた状態）となると、企業は財務内容を修復するために収益を借金の返済にあてるようになるため、日本銀行が金融緩和を行っても企業による資金調達が行われなくなり、設備投資や消費が抑圧されて景気が悪化すること。（ネットより）

――クー理論

でも、昨年（二〇一九年）、『「陰」と「陽」の経済学』（リチャード・クー著、二〇〇七年、東洋経済新報社）を読んで改めて、なるほどなーといまさらながら「バランスシート不況」に感心しました。

この本を読んだきっかけは、単純です。

実は経営雑誌で、同氏の、海外中銀で引っ張りだこの「クー理論＊」という記事を見つけました。

そこで、バーナンキ元ＦＲＢ議長も読んでるという記事を見て、ミーハーですので、読んだのが実態です。

＊「海外中銀で引っ張りだこ　「クー理論」が受ける理由」（リチャード・クー氏インタビュー『週刊東洋経済』、二〇一九年八月三日号、東洋経済新報社）

10年ごろに米議会の公聴会に呼ばれ、バーナンキ氏と一緒になった。そのとき、『「陰」と「陽」の経済学』を手渡したら「その本は要らない。全部読んだ」と言われた。ＦＲＢの彼の部屋へ行くと、「みんなに見てもらうため」と、私の本を最も目立つ所に置いていた。（中略）

次のイエレン前議長とはバーナンキ氏以上の付き合いだ。ＦＲＢのスタッフもバランスシート不況という言葉を使っており、再びバランスシート不況が米国を襲ったら、現在のパウエル議長も早めに財政出動の後押しに動くのではないか。（中略）

上海や北京での公的機関主催の講演では、『「陰」と「陽」の経済学』の中国語版を持った人たちが押し寄せ、サインをせがまれた。中国でもこんなに読まれているのかと驚いた。リーマンショック後の４兆元の経済対策も、実は私の本をベースに行ったと複数の人から言われた。

――バブル崩壊と財政支出

ところで、バブル崩壊（一九九一年）後に失われた日本の富は一五〇〇兆円（日本のＧＤＰ×三年分）、法人の需要は二〇％減少しました。

これは、第二次大戦で失われた富、当時の日本のＧＤＰ一年分に相当します。アメリカ大恐慌（一九二九年）の四年後は、ＧＤＰが半分になった。

一方、日本は、五〇〇兆円のＧＤＰが維持できました。

これは、日本政府が極めて早い時点で財政支出を続けたからとクー氏は評価しています。ところが、残念なことに橋本内閣で財政均衡に舵を切り替えたんですね。

クー氏によれば、ＯＥＣＤとＩＭＦの圧力に橋本内閣が屈してそうしたようです。もっと財政支出を続けていたら、あとづけですが、デフレの脱却が早かったかもしれませんね。

バブル崩壊後、国の借金の増加と企業の借入金の減少がほぼ同額でした。

国が財政支出で、借金を膨らました分、きれいに企業の借り入れが消えて行った。国が企業の借金の肩代わりをしたようなものでした（これも、大分前に当時の私の経済の師匠がおりまして、その勉強会で聞いてとても記憶に残っています）。

でも、当時、私自身、国のバランスシートの悪化と国債の半端でない増え方を憂いて財政再建派でしたから、これだって、自分自身カンが悪いなーと思いますよね。

さて、クー氏の処方箋です。

「不況には2パターンある。
1、通常の景気循環によるもの
2、企業のバランスシートに起因するもの」
「経済がバランスシート不況に陥り、借り手の企業も、またそこへ金を貸した銀行も、債務超過の問題を抱えて動けなくなったときの対策は、次の通り。
1、政府が自ら資本投入（＝国営化）して、これらの債務超過を解消する。
2、政府が、これらの企業に大きな仕事を発注して、これらの企業のキャッシュフローを改善し、そのキャッシュフローで借金の返済を進めてもらう」
『「陰」と「陽」の経済学』（リチャード・クー著、二〇〇七年、東洋経済新報社）

――リーマンショック後の欧州

リチャード・クー氏の話題作、『「追われる国」の経済学』(二〇一九年、東洋経済新報社)では、リーマンショック後欧州(特にユーロ圏)が、同じようにバランスシート不況に陥ったことに言及しています。

ただ、バーナンキFRB議長、サマーズは、バランスシート不況に気がついており(『「陰」と「陽」の経済学』を読んでいて、日本のバランスシート不況を知っていた)、それで、米国のリーマン後の回復が早かったとされています(私個人的には、米国は、人口が増えており成熟した国のみならず、新興国としての要素があり、需要が旺盛なのも後押ししていると思っています。私も三〇年ぐらい定期的にLA(ロスアンゼルス)に行っていますが、どんどんどんどん郊外に住宅の開発が進んでいるのを目の当たりにしてきました。住宅価格の高騰で、市内は買えないんですね。山火事が頻発する地域でよく住宅の被害が報道されますが、そんな郊外の山まで住宅開発が進んでいるんですね)。

二・MMT（Modern Monetary Theory：現代貨幣理論）

――MMTの骨子

もう一つ、私が影響を受けたのは、MMT理論です。

この理論は、ニューヨーク州立大学のステファニー・ケルトン教授らが提唱し、サンダースとかアメリカ民主党左派の理論的支柱となっています。

アメリカ民主党左派にグリーンニューディール（地球温暖化対策）や国民皆医療保険などの大型の歳出拡大が必要との意見があり、その財源としてMMTが提唱されています。（ネットより）

骨子は次の通りです。
①自国通貨建てで政府が借金して財源を調達しても、インフレにならないかぎり、財政赤字は問題ではない。

②マネーがマネーになるのは、人々がマネーとして認めるから。
（通貨は、「納税義務の解消手段」という価値をもつ。（中野剛志氏））
③内国債、外国債を分けて考える。
内国債は、国債保有者（国内民間）と国債発行者（政府）で相殺が可能。
④デフレは減税、インフレは増税。

アベノミクスの指南役の浜田宏一イェール大学教授は、「ＭＭＴは均衡財政への呪縛を解く解毒剤」と言っています（「世界を揺るがす「ＭＭＴ」の真実」、浜田宏一氏インタビュー、『週刊ダイヤモンド』、二〇一九年七月二〇日号、ダイヤモンド社）。

また、エコノミストで、経産省の現役のお役人でもある、中野剛志氏は、次のように解説しています。

①消費増税も量的緩和も愚の骨頂！
↓ＭＭＴの基本は単なる「事実」
②ハイパーインフレは起こらない
③自国通貨建てで発行した国債に関して、返済する意志がある限り、返済できなくなるとい

うことはない。
④インフレを抑制するために、課税が必要となる。
　増税は、インフレ抑止の手段
　減税は、デフレを阻止する手段
　課税は、財源確保の手段ではなく、物価調整や資源再配分の手段なのである。
　消費増税は、MMTからすれば、デフレを悪化させる愚行でしかない。
⑤量的緩和では、需要を増やすことはできない。
⑥行うべきは「減税」と「財政支出拡大」
　自国通貨を発行する政府は、そもそも財源を懸念する必要はない。

　GDPと財政支出は、ほぼ相関している。

　消費増税も量的緩和も愚の骨頂！

（以上、「消費増税も量的緩和も愚の骨頂！」『FACTA』二〇一九年八月号、ファクタ出版より抜粋）

――ＭＭＴ理論の実践を日本のリノベーションで！

私は、ＭＭＴの理論で、日本のリノベーションをやったほうがいいのではと思っています。日本はあらゆるインフラが老朽化＊１しています。

北朝鮮のようにすぐ災害の被害が大きくなってしまいます。

昨年の台風による千葉の南房総市の停電被害は、東電さんが三・一一の原発事故以降メンテナンスの予算を削った結果ではないかと話題になりました＊２。

でも、電力のようなライフラインのメンテは、民間では無理ですよね。

国がやらなきゃ無理ではないでしょうか？

これこそ、ＭＭＴの実践なんです。

＊１　老朽設備が被害を大きくした可能性を指摘する声もある。福島第一原発事故の賠償費用などを捻出する必要がある東電は、送配電事業の合理化で利益を確保している。送配電設備への投資額は１９９１年は約９千億円だったが、昨年は約３千億円まで減った。

東電は、新規を除いた維持費用は１５００億円程度で減っておらず、「点検に基づき適切な更新を実施している」という。ただ、電線の地中化が先行する東京都内は今回の台風でも停電が圧倒的に少なかった。（「（時時刻刻）停電復旧、見通し暗転　東電の甘い目算に苦言次々　千葉、なお26万戸」『朝日新聞』、二〇一九年九月一三日）

＊2　その際、倒木が電信柱に絡まって、復旧が遅れました。

どうもその倒木は、「溝腐れ病」に冒されていたという話もあります。（「東京電力は首都圏を「保守」できない」、『選択』、二〇一九年一〇月号、選択出版）

――GDPの伸びは、MMT理論の証明？

図1を参照してください。

三・一一東日本大震災の後の各県別、GDPの伸び率の推移です。

図1　各都市別GDP 日本のGDPの推移

（単位：兆円）

都道府県	2011年	2016年	伸び率	伸び率順位
日本	494.0	539.3	9.2%	―
福島県	6.2	7.9	26.8%	1
宮城県	7.6	9.5	24.8%	2
愛知県	33.0	39.4	19.2%	3
⋮	⋮	⋮	⋮	⋮
東京都	93.4	104.5	11.9%	12

※内閣府統計データを基に作成。　※名目GDPにより算出。

（単位：兆円）

都道府県	2011年	2016年	伸び率	GDP順位
日本	494.0	539.3	9.2%	―
東京都	93.4	104.5	11.9%	1
愛知県	33.0	39.4	19.2%	2
大阪府	37.2	39.0	4.7%	3

※内閣府統計データを基に作成。　※名目GDPにより算出。

一、二位は、福島県、宮城県です。
東京都が伸びているかと思いますと、伸び率はなんと一二位です。

震災の復興予算と財政支出の効果が推定されます。

この図を見ても、ＭＭＴの実践の効果と推測できるのではないでしょうか?

——ついでに

四国で聞いた話です。今治造船（株）はじめ、四国は世界的なタンカーを建造しています。

でも、竣工して、ドックを離れたとたん、二度と日本の港には新設タンカーは寄港できないそうです。

そんな大きな船が入る大きな港がないからです。

財政を考えないで、ともかく日本もこんな港を造る、いくら財政支出をしても、国が潰れないんだったら、とその話を聞きながら、考えましたね。

三．私がＭＭＴ理論に行きつくまで

――シムズ理論とトマピケティ理論

このシリーズでもしばしば触れてきたのは、シムズ理論とトマピケティ理論です。

シムズ理論は、

「低金利下でデフレが続く場合、大胆な財政支出をして、景気を浮揚させる。財政が悪化したら、インフレにして、その債務をチャラにする」

我流に訳しますと、こうなりました。

そして、有名なトマピケティ理論。

ｒ（資本収益力）＞ｇ（経済成長率）

我流の解釈ではこうなります。

大金持ちになるには、資産を使って儲けるしかない。

例えば、ｒ（資本収益力）（利回り）は、年四～五％になります。

ところが、ｇ（経済成長率）は、年一～二％にすぎません。

サラリーマンの給料とか、所得では、年一～二%しか賃金が増えません。

でも、一億円のアパートを買えば、年四～五%の利回りでも五〇〇万稼げます。二〇年経過したら? 資産格差は歴然です。

これが、私のバランスシート経営の根拠でした。

余談ですが、

「あいつ俺よりダメなのに、なんで給料高い?」

こんな格差で嘆かない! 資産格差がホントの格差です。

——資産運用の時代が来る?

また、たまたまつけていたテレビで、こんなコマーシャルを見ました(ウェルスナビ、柴山CEO)。

それは、「海外駐在の人が、アメリカの女性と現地で知り合って結婚しました。そこで、二人の両親を引き合わせたところ、奥さんの実家の資産が、男の実家の資産の10倍でした。どちらも普通の家庭です。これは、資産運用の差だ」(だから、資産運用は大事という)。

こんなコマーシャルですが、一〇年前の日本にはありませんでしたね。

必ず、アメリカのトレンドと同じことが日本にタイムラグで起こります。
個人も資産運用の時代がまもなく来ますね。
そして、MMT理論です。
これだ！と、思いましたね。

――私の思考の歴史→バランスシートエコノミーに行きつくまで

まとめてみます。単純だなー（笑）。

トマピケティ理論（二一世紀の資本）
←
シムズ理論（物価の財政理論　the Fiscal Theory of Price Level）
←
リチャード・クー　バランスシート不況
←
MMT理論

バランスシートエコノミー
↑
バランスシート経営
↑
バランスシートで稼ぎなさい!
↑

——経済もバランスシートから見る?

経済のシロートが言うのもなんですが、私は、クー理論とか、MMT理論を見ながら、少し飛躍して、**BS経済学（バランスシートエコノミー）**があるんではないか?と、最近思っております。

つまり、経済学も**BS経済学の視点が必要**ではないかとつくづく思います。

従来の景気循環の経済、これを仮に**PL経済学**（損益計算）とすると、これだけでは、昨今の経済をよめないいんじゃないか（エラソウでごめんなさい）と思うんですね。

その根拠を列挙しますね。

・クー理論を待つまでもなく、これだけ金融緩和しても先進国（成熟国）では、需要がなく、インフレにもならない

・まず投資先がない（お金の需要がない）

・お金の供給過多

それにもかかわらず、先進国の規制緩和競争？によって、お金がじゃぶじゃぶ。

お金が供給過多の状態が長く続いています。

・完全雇用の状態、むしろ人手不足が続いているにもかかわらず、インフレにならない

――日本の製造立国復活は無理？

図2を見てください。

日本の製造立国は無理です。

図2　アジア各国の製造原価（日本を100として算出）

	2012	2013	2014	2015	2016	2017	2018
ベトナム	68.0	73.2	73.2	73.0	73.2	72.3	73.1
中国	72.2	76.4	77.8	81.9	79.4	80.5	80.5
韓国	74.0	77.9	80.6	88.2	91.3	89.2	92.7
全体	74.0	77.9	78.6	80.6	78.9	78.6	78.7

（注）全体はアジア・オセアニアの20ヵ国・地域の統計
（資料）日本貿易振興機構（ジェトロ）「アジア・オセアニア進出日系企業実態調査」をもとに三菱UFJモルガン・スタンレー証券景気循環研究所作成
（出典）三菱UFJモルガン・スタンレー証券

ＧＤＰの貢献度の高い設備投資の工場建設、設備投資は、どうしても国外で行うことになり、日本でのお金の需要はありませんよね。

日本、韓国、中国、ベトナムの製造原価の比較です。

この図を見ただけで、私は、日本への製造業の回帰は無理だなと思います（だんだん各国の賃金が追いついて来ましたが、進出企業はもっと安い賃金の国を探します）。

今一番必要とするＩＴ投資もクラウドが出てから、投資額が安くなりましたし、お金の需要にはあまり貢献しません。

すると絶えずお金は行き場がない？

――行き場のないお金

この行き場のないお金は、自社株買いだったり（二〇一六年で一〇兆円と言われています）、Ｍ＆Ａに行ったりします。

自社株買いだってバランスシートの修正ですし、また、Ｍ＆Ａでは、二社が一社になるだけですので、二つともＧＤＰは増えません。

ＲＯＥ（自己資本利益率）・ＲＯＩ（資本利益率）を尊重する経営をすれば、これもお金が市場に出ません(効果的なこの指標を作るには、資産圧縮が一番です)。

単純に言えば、経済は、ＰＬ(損益)に行かず、**資産の上下(バランスシート間)だけに終始**します。

これって、ＢＳ経済ではないかな?

経済は、バランスシートで考えたほうがいいのでは?との根拠です。

私は、毎日のように、経済番組を見ています。株の上がったり下がったりする感想がトランプがどうの、中国の反応が米中の貿易摩擦がどうのとコメントしますが、いつも後づけです。

私は株の上がったり下がったりは、機関投資家の儲けの出口(利益確定売り)で動くんじゃないか?と思っています。

その時の解説は、どうも、理屈は後から宅急便に思えます。

――投資家資本主義

「投資家資本主義の時代」に入ったという人もいます(「米国経済　〝投資家資本主義〟の行く末資本市場の虜になったＦＲＢ」、河野龍太郎著、『週刊エコノミスト』、二〇一九年八月一三日・二〇日号、毎日新聞出版)。

記事によれば、「景気が好調な米国で、しかも完全雇用の状況で、利下げする事態、過去こんなことはなかった。これは、投資家資本主義の時代に突入し、継続的な株安を社会が容認しなくなった」

「労働者の賃金上昇は限られるので、物価も上がらず、金融緩和が続き、**資産価格の上昇ばかりが続く**」

わたしもそう思いますね。

――歴史的低金利

二〜三年前、小説をマネして金融界では「永遠のゼロ」が流行りました。

「いつまで続く永遠のゼロ！」

こんなことを私も過去の経営ノートで書きました。

でも「いつまで続く永遠のゼロ」、この日本語はおかしいですよね。

永遠は永久です（笑）。

でも永遠かどうかは別として、私は当分低金利は続くと思っています。

その根拠は単純です。

イ　各先進国は為替安競争で、金利を上げにくい
ロ　国債が巨額で、金利を上げたら、日本政府が困る
ハ　そもそも設備投資等大型の需要がない

——想像を超える「時価総額」

私の身近に知っているM&Aのナンバーワン企業である(株)日本M&Aセンターを例に挙げましょう(分林会長には怒られるかも知れませんが)。

時価総額　四九七七億円(二〇一九年一〇月一一日現在)
PER*　五二・八七倍(二〇一九年一〇月一一日現在)

*PERとは「今の株価が〝一株当たりの純利益〟の何倍なのか」(株価収益率)

売り上げは二八五億円、経常利益は一二五億円の会社で、約五〇〇〇億円の時価総額です。
言い換えますと、五二年分の利益が株価です。

――アメリカは、株価を上げることが国策

アメリカは、株をあてにした老後の生活を考えています。政府として、株価を上げるのが命題なんですね。

株価を落とせない。

私は、いずれ、このトレンドは日本にも波及すると思います。

前述しましたが、個人も資産運用の時代到来?

――バランスシート経済は、バブル経済

↓主たる債務者は政府なので弾けにくい?

行きつく先はバブルの発生です。

いつ破裂するのか?

これは、いつも気になっています。

最近ジャンク債と言われている、CLO（担保証券）の話題がNHKのニュースにも出てくるようになり、一般化してきました。

サブプライムの一・五倍だそうです。

でも当分このバブル状態が続くような気もするんですよね。

シロート考えで、恐縮ですが、

リーマンショック　民間が債務者

今　　　　　　政府あるいは、中央銀行が債務者

政府が海外から借金をしていなければ倒産しません。

お札を刷れば、倒産しない？

――企業（もちろん個人を含めてです）の取るべき戦略

整理しますね。

イ　バランスシート力で、ＰＬの収益改善の手助けをする

ロ　低金利を徹底利用

ハ　資産を守るだけでなく、増やせ！

極端に言います。

成長したいなら金借りろ＊！

バランスシートで稼ぎなさい！

この二つに尽きます。

＊レバレッジ効果（借入効果）

そもそも、**レバレッジ効果**とは「テコの原理」のことです。つまり、小さい力で大きな**効果**をもたらすという意味で、不動産投資に置きかえると「小さい資金で投資**効果**を上げ、さらに収益性を高める」ということになります。具体的には、自己資金と借入金を併用することで、見た目の利回り以上の収益を得ることができるというものです。（ネットより）

ex）利回り六％の不動産を買った場合

二〇〇〇万円　全額自己資金で購入

年家賃収入　一二〇万円②

六〇〇〇万円　（二〇〇〇万円　自己資金

　　　　　　　四〇〇〇万円　借入金　利息三％）

年家賃収入　三六〇万円－利息一二〇万円＝二四〇万円①

①－②＝一二〇万円多く稼げる

――私の体験→借金は、悪

私も実は、日本のバブル崩壊の影響を受けた一人です。

よせばいいのに、当時地上げして、マンションを作りましたから。丁度マンション完成とバブル崩壊が同時に来まして、資産価格が三分の一になったからたまりませんでした。

今でも悪夢です（笑）。

そこでバブル崩壊時私はやけっぱちで、次のように考えました。

「今の（当時）事務所の規模では、到底借金の返済は不可能だな、事務所の規模を大きくするしか借金返済はできない」

売り上げを大きくすれば、相対的に借金の比率が下がります（借金の額は変わりませんが（笑））。

その後、会計事務所はソコソコの規模になりましたから、結果よかった？

友人は、「災い転じて福となる」なんて、慰めてくれましたが、でもねー（笑）。四〇代の後半は、借金返済の毎日でした。

ですから、クー理論のバランスシート不況の体験者の端くれです。

——リーマンショック後に儲けた人は、借金を恐れない人

ところで、リーマンショックの後、儲けた不動産業は、借金（レバレッジ）を恐れない若い人たちです。

オールド世代の不動産屋は、資産価格が上昇するにつれて、もう限界だと投資をやめましたものね。

私もオールド世代の一人でもうそろそろ資産価格の上昇は終わりで、第二のリーマンショックがいつくるかと思っていました。

でも、いまだに資産バブルは続いているんですね。

ハラオチの悪い私ですが、これも経済がバランスシートエコノミーになったんではないか？という根拠です。

第三章

バランスシート経営

一・バランスシートで稼ぎなさい！

――経営者の二つの眼 「社長の眼」、「投資家の眼」

私は、必ずこのテーマを、ここ二年拙著（経営ノートシリーズ）で書いてきました。

今年もしつこくこれを書きます。

ご存じのように日本は、個人資産が一八三〇兆円（二〇一八年末時点）（図3参照）です。

この日本のストックをいかに自社のビジネスに取り込むか？

成熟した日本経済では、この戦いになります。

すると、戦い方も、新興の発展途上国のビジネスモデルと違って来ます。

稼ぐビジネスから貰うビジネスへの転換です。

この意味は、
イ　バランスシートで、稼ぐ、
ロ　社長は、二つの眼を持つこと！
　社長としての稼ぐ眼、そして投資家の眼です。

つまり、アンド(and)の経営、両利きの経営です。

あれも、これもです。欲張りの経営です(笑)。

あれか? これか? (alternative)という選択肢ではありません。有名なビジョナリーカンパニーでも、andの経営を言っています。

私は筋トレにはまっていますが、筋肉だって、オン、オフがあり、どちらも必要だと言います。

私は、整体に通っていますが、それで、体が柔らかくなります。

でも、それだけですと、オフ状態になり、力がでません。

私は、少し、ベンチプレスをやっていますが、体は柔らかくなったんですが、一時力が出なくなりました。

ですから、強さのオンも必要です。

整体で体が柔らかくなって、ゴルフの飛距離がでなくなった人もいるんですね(笑)。

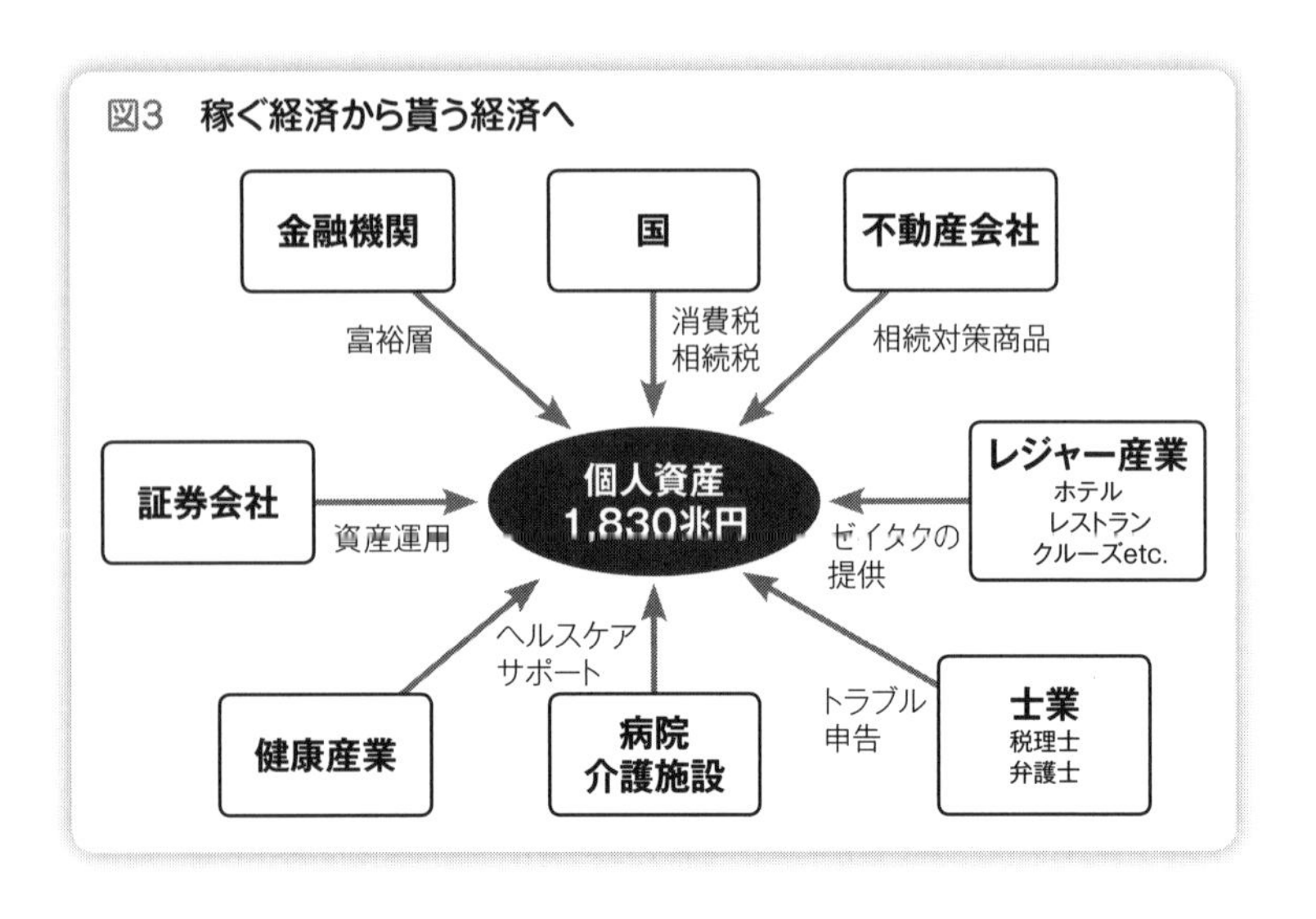
図3　稼ぐ経済から貰う経済へ
金融機関
国
不動産会社
富裕層
消費税
相続税
相続対策商品
証券会社
資産運用
個人資産
1,830兆円
レジャー産業
ホテル
レストラン
クルーズetc.
ゼイタクの
提供
ヘルスケア
サポート
トラブル
申告
健康産業
病院
介護施設
士業
税理士
弁護士

――我流、バランスシート経営の定義

「日本のストックで（ＰＬ）を稼ぎ、ファイナンス力で、バランスシート（ＢＳ）を稼ぐ！」

この合わせ技で稼ぐ！

①ＰＬの収益の源泉を日本のストックから貰う

デフレの経済は、稼ぐのは大変です。

視点を変えて、「稼ぐより貰うに着目」して経営したほうが、効果的、効率的です（これは私の勝手な意見ですが）。

また、「貰う」ことは、「奪う」ことでもあります。

デフレ、成熟化した経済は、パイが一定ですから、どうしても麻雀経済です。積もれば、相手との持ち点の差が倍に開きます。

Ｍ＆Ａだって奪う経済です。市場の全体パイが増えるわけではありません。会社間の差ができるだけです。

すると、貰う経済、貰う経営の特徴が見えてきます。
イ　バランスシートが、ＰＬのサポートに不可欠です。

貰う経営には、ファイナンスのサポートがとても重要です。

ロ　価格で勝負しない

例えば、クルーズトレイン「ななつ星in九州」のように値段に関係なく売れるものは売れます。

予約の取れない寿司屋だってそうですよね。

特に体力のない中小は、安売りはやめた方がいいと思います。

②バランスシートで稼ぐ→BSだって付加価値（粗利）経営→PLで勝って、BSで負ける時代

昨年の経営ノートでも書きました。

今年は儲かったなと、社長が悦に入っていると、ライバル会社はM&Aをして、もっと儲けたなんて例はざらになりました。

たしかにPLでは勝ったんですが、BS力（ファイナンス力）を使われて負けてしまった。

こんな例です。

BS力は、ファイナンス力です。これは、投資家の眼です。社長の眼で、投資を見る！

これが大切です。

ファイナンス力のキモは、想像を絶する低金利です。

図4を参照してください。

極端に言います。**PLを横にしたのが、BSです。**

調達を仕入れ、運用（使途）を売り上げと考えれば、**利は元にあり**で、仕入れがとても大切です。

PLも粗利がキモです。BSも同様に粗利を上げるには、調達が安価なのがポイントです。

すると、今の低金利がポイントになります。

まさに、

「成長戦略は、借金から」

「成長するなら金借りろ！」

です。

図4　BSの仕組み

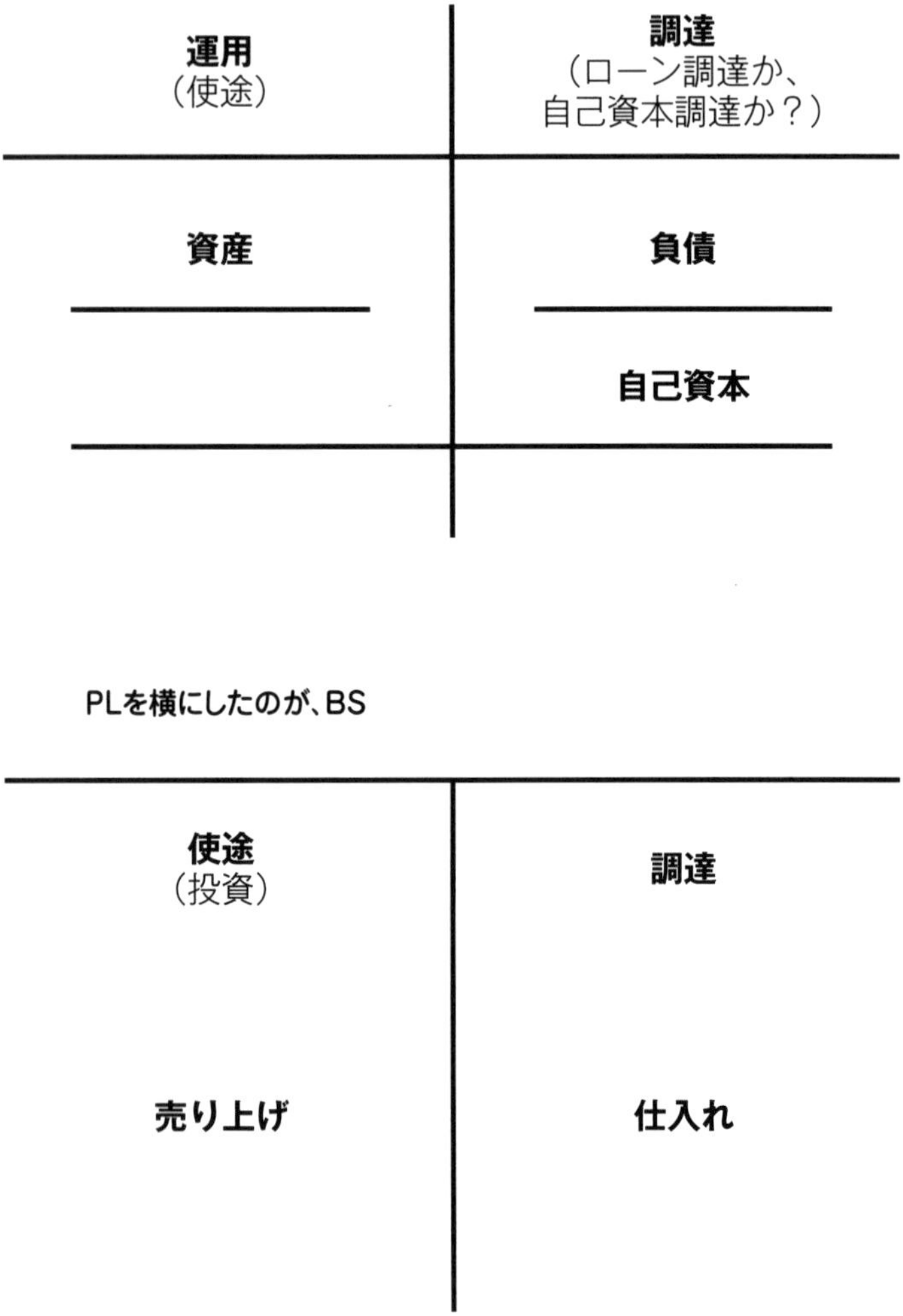

運用 （使途）	**調達** （ローン調達か、 自己資本調達か？）
資産	**負債**
	自己資本

PLを横にしたのが、BS

使途 （投資）	**調達**
売り上げ	**仕入れ**

――孫流曲がり角？→キャピタルゲインも利は元にあり

たまたまこの原稿を書いているタイミング（二〇一九年一一月）に、ソフトバンクが九〇〇〇億円投資損失というニュースがありました。

米国のシェアオフィス「ソフトバンクのファンド「ウィーワーク」の減損でした。

知り合いが、「ソフトバンクのファンドはレイトステージで投資しているので、価格が高く買っている。リスクがあるよねー」

こんな話をした直後でしたので、このニュースは印象的でしたね。

私もファンドの金額が大きくなると、投資が荒っぽくなるんでは？と思っていた矢先でもあったんです。

アメリカのメディアは、孫さん流を、「野心が強すぎる」とコメントしてましたもんね。

キャピタルゲインも、仕入れ次第、つくづく感じました。

コラム――**不動産投資、単身者市場が熱い!**

独身者が多くなりましたね。

専門家に言わせますと、都市圏、単身者用住宅が一番伸びしろがあるといいます。

成長マーケットは、ワンルームマンションと言い切る人もいます(鈴木雅光著、「不動産投資　急増する単身世帯需要　ワンルームマンションの妙味」、『週刊エコノミスト』、二〇一九年五月二一日号、毎日新聞出版、人口構造の変化が、価格の押上要因、上昇する生涯未婚率)。

また、東京の単身者用が、これからの資産運用のキモという人もいます(資産デザイン研究所　内藤忍代表)。

単身者用は、日本人だけでなく、在留外国人にニーズがあるとも内藤さんは言っています。

不動産投資の3種の神器

大げさですが、私は、①**立地**　②**リノベ**　③**単身者用**、こんな風に考えています。

建築年数が古くても大丈夫です。

リノベしますと、見違えるようになります。

図5　東京都の家族類型別 世帯数の推移

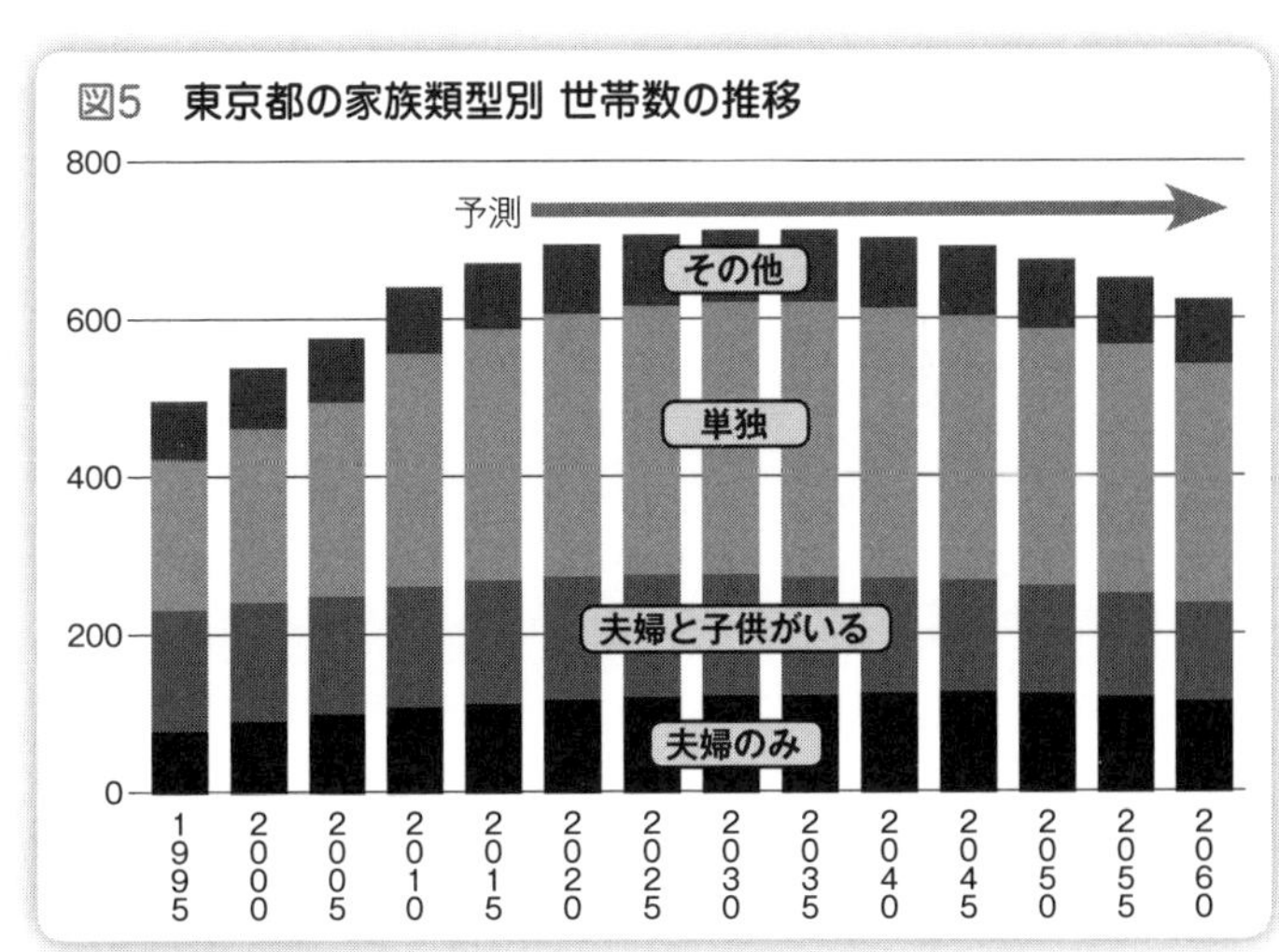

出典：東京都政策企画局
単位：1万世帯

第四章

ビジネス in 2020

一・転地

今年のテーマは、「転地」です。

私は、次の二点で経営したいと思います。

①既存事業のシェイプアップ（shape-up）

②新事業立地を開拓する

経営とは矛盾するものを同時に達成する仕事でもあります。

既存事業をシェイプアップして、利益体質にしながら、転地で新事業の開拓もするというものです。

決して転地を繰り返す焼畑農業になってはいけません。

これは、付加価値を上げるための、企業の通らなければならない道でもあります。そして、欲張りですが、「成長も付加価値も」です。

売り上げの伸びも大切、でも利益率の改善もです。

「両利きの経営」＊です。

成長し続ける企業は、既存事業の深化、新規事業の開拓を同時にできている会社をいいます。Netflixのように、ビデオレンタルから、動画配信へ大変身した会社もあります。

＊『両利きの経営（The Ambidextrous Organization）「二兎を追う」戦略が未来を切り拓く』（チャールズ・Ａ・オライリー他著、二〇一九年、東洋経済新報社）

――先進国（成熟国）モデル

「イノベーションを起こして、世の中の問題を解決する高付加価値の商品、サービスを生み出し、小人数で少ない労働時間でも稼ぎだすモデル」（「トップが本気で戦略を立てれば「経営改革」は実現できる」、ネスレ日本社長兼ＣＥＯ 高岡浩三氏インタビュー、『ＴＨＥ２１』、二〇一九年四月号、ＰＨＰ研究所）

昨年、この記事を読んで、私自身ハッとしました。

ドラッグストアのマツキヨだって、利益率がいいのは、化粧品という粗利の高いキラー商品群を持っているからです。

それに比べ、いまだに自分は新興国モデルの頭だったな、でも国の経済が成長しない、先進国（成熟国）になったら、ビジネスのやり方をただバカの一つ覚えみたいに、売り上げ一本足打法では、躓くな?

これは、前述しました（失われた七年）。

そこで、私なりに中小企業の戦い方をまとめてみました。

では、現状から、中小企業が抜け出すためには、何が必要だろうか?

二．新事業立地の開拓

私の好きな学者に三品和弘先生（神戸大学大学院教授）がいます。
もう五年前になりますが、新事業立地の話を雑誌で読んで、感激したことがあります。
その時の例が、信越化学工業でした。
なぜ、当社は利益率が高いか？
カテゴリーで一番の商品を開発していったからです。
「①事業立地は、魅力的でない（unattractive）立地
②高収益と高成長を両立する唯一の方法は、収益性の高い事業をたくさん作って行くこと。
一つの事業に成長を求めてはいけない」（「高収益は事業立地で決まる」、三品和弘著、『週刊東洋経済』、二〇一五年九月一二日号、東洋経済新報社）
なるほどなーと思い、私の勉強会（本郷クラブ）で紹介した記憶があります。
でも、私はハラオチの悪い人間です。これは、ハラオチ五年です。
また、単なる事業の寄せ集めではなく、コア事業を中心とした多角化戦略が好業績（大阪府

立大学経済学部 上野恭裕教授（当時、現在は関西大学教授）。これを知って本郷クラブで講演して貰ったこともあります。これだって二〇一一年のことです。

遅れ遅れて、やっと、付加価値経営に目覚めました。

三品先生によりますと、優位性∨規模です。

「優位」を生まない「規模」の追及は必ず徒労に終わる」（「「規模」と「優位」の経営戦略」、三品和弘著、『週刊東洋経済』、二〇一七年一二月二日号、東洋経済新報社）

なるほどなー！

――マクロにだまされるな！ 今のモデル 村田製作所

私は、今の目指すモデルは、村田製作所だと思っています。

村田製作所は、電子部品の世界シェア四割を握っています。

なぜか？

それは、製造を自社で「一気通貫」で手がけているからです。

一貫生産だから高効率だといいます。

また、当社の特徴は、カテゴリーナンバーワンの商品群を多く持っていることです。

当社の高収益率を生む四つの強さとは?

①参入障壁の高さ

真似しにくいモデルの開発です。

②垂直統合

③新商品比率(8年以内の商品約4割)

④即断即決の交渉術

これらを組み合わせると、付加価値の高い会社ができるという訳です(「高収益率を生む4つの強さ」、『日経ビジネス』、二〇一九年六月三日号、日経BP)

――キーエンス

この会社も高収益企業です。高収益の秘密は、工場を持たないファブレス経営や製品の研究開発力、合理性の塊のような直販営業や社風にある(「年収2000万円!謎めいた「キーエンス」の実態」、『東洋経済オンライン』、二〇一八年一二月二八日、https://toyokeizai.net/articles/-/257794)。

これだって、一気通貫モデルですものね(でも、キーエンス社の社員は働くそうですよ。この話は身近に聞きました）。

——プリンシパル化（内部化）（principal）

別な表現をしますと、プリンシパル化への取り組みです。

「例えば、商社だって、中立性を捨て、川上、川下のプリンシパル化を積極化させています。伊藤忠はファミリーマートや、三菱商事はローソンと大手商社の子会社です」

商社は、小売りを子会社化なんかできないのが、常識でした。

だって、他の取引先が山ほどあり、その既存の取引先を敵に回します。

それを敢えてやる！

付加価値経営へのシフトなんですね。

「プリンシパル化は、自社の資本を使っても、M&Aでの取り組みが可能だ。いずれにしろ、**BSを使ってPL**を作る行為である」

「**歴史的な低金利**がプリンシパル化の経営を後押ししてる」（以上、『持たざる経営の虚実』（松岡真宏著、二〇一九年、日本経済新聞出版社）より抜粋）

ここにも、バランスシート経営の本質があります。

松岡さんは、

「企業の利益率とマーケットシェアは、無関係である。

利益率は、マーケットシェアの関数ではない。**利益率は〝参入障壁〟の関数**だ」（同書）

これは、三品理論に符合します。

いくら流行っているレストランでも、隣にもっと流行るレストランができましたら、あっという間に、客が奪われマーケットシェアがなくなります。

――ついでに、卸は危ない！

どの業界でも中抜きが始まります。

芸能界でも、プロダクションを中抜きしてライブで稼ぐ芸人が出てきました（「勃興する投げ銭型ライブ配信市場　トークや歌で視聴者魅了　芸能事務所を中抜きに」、『日経ビジネス』、二〇一九年九月二三日号、日経ＢＰ）。

これで、月一〇〇〇万円稼ぐライバーも現れたといいます。

芸人お前もかではないですが、私は、付加価値の低い卸業は、いずれ淘汰されると思っています。

――そこで弊社の取り組み

ちょっとテレますが、弊社の取り組みを書いてみます。

村田製作所を弊社、弊グループに当てはめると？

真似っこです。

①コンサルティングファームに変える

（会計業務、財務業務とコンサルティングのシナジーを生かせば、参入障壁が高く、競争優位性があると考えましたが……（笑））

理想は、「本郷さんのとこ会計税務もやっているの？」と言われたら、業態変更が成功かな？

昔、日経新聞が、巨額のコンピューター投資をし、今でいう電子化した総合情報会社を目指した＊、こんな記事を見て、これもパクリです。

＊円城寺次郎「椎名君（当時のIBM社長）、日経は新聞も出している会社にしたいんだよ」

円城寺次郎氏（えんじょうじ じろう、1907年4月3日―1994年3月14日）は日本のジャーナリスト、日本経済新聞社社長。

「現状の新聞経営はムダだらけ。魚に例えればおいしい真ん中の身しか食べていない。頭から尻尾まですべて食べるようにしなければ」と総合情報機関を目指した円城寺は、経済部長、政経部長、編集局長、主幹を歴任後、社長8年、会長4年と中枢で長く日経新聞社を牽引した中興の祖である。（久恒 啓一氏　ネットより）

②規模はもちろん、各部門、各地域、各カテゴリーでNO.1を目指す

③スタッフを再教育し、各カテゴリー毎の専門家を育てる

そのためには、兼務をやめさせる。

色々やらせて、兼務させるから、専門家が育たない。

バカですねー（笑）。

何十年もやっていて、今頃気が付くなんて……。

（一方では、星野リゾートが提唱して実践しているマルチタスク化があります。どちらがいいか？ 業種、業態で判断した方がいいのではと思っています）

――うちは何屋さん？

転地はマーケットをシフトするわけですから、まず自社は何屋さんか、孫流の表現では、「頭が千切れるほど考える」必要があります。

私が若いころ、マーケティング・マイオピア論（近視眼）というのがありまして、一世を風靡しました。（一九六〇年、ハーバード大学のセオドア・レビット（Theodore Levitt）教授によって提唱された理論です。

当時のカリスマ理論です。

今でいうマイケル・ポーターの競争戦略のようなものですかな？

自社の事業を余り狭く考えてはいけない、鉄道会社は鉄道輸送と考えるから、飛行機に取って代わられ、映画会社は、映画制作と思うから、テレビに負けた。

輸送提供業、娯楽提供業と考えれば、飛行機やテレビ業界に進出できたんだ。

会計業界でも流行りまして、この理論を元に、一枚の紙に何屋さんかをスケッチする勉強会がありました。

ロレックスの社長（当時）に時計業界のことを聞いた答えが、「わしは時計業界のことは知らん、贅沢品業界に属しているから」。この答えにうなりましたね。

千疋屋のメロンがなぜ高いのか？

千疋屋はフルーツの業界にいない、ギフトの業界だからだ。

当時、高価なメロンを自分で買う人はあまりありませんでしたので、納得した記憶もあります。

私もその勉強会に参加しまして、そこで、会計業界と考えてはいけない！と言われ、「会計、経営を提供するサービス業です」と答えましても、陳腐だと散々講師にバカにされた恥ずかしい記憶があります。

もっとも、当時お客さんに、汲み取り屋さん（汲み取り便所が普通でしたので）がありまして、お金を払う時、割りばしで渡す客もいて従業員のモラルが低くて困ると相談されました。

そこで、従業員の前で、「あなた方は**衛生の業界ではない、黄金の業界**にいるのだ！」としゃべったら、社長に散々怒られた記憶があります。

──転地と付加価値経営の取り組み

付加価値ってなーに？

そもそも付加価値ってなんでしょう？

「「付加価値」とは、「他とは違う何らかの独自の価値を、商品やサービスなどにつけ加えること」です。たとえば「商品に付加価値を付けて売る」などのように使われる（ネットより）」

ですから、付加価値経営なんていうと、違うことをして価値を付加すると考えます。

でも、私の付加価値は、財務の話です。

単純に「付加価値＝粗利」（図６参照）で、粗利の改善が中小企業には、待ったなしだという話です。

粗利の改善には、売り上げを伸ばすか、仕入れを下げるかです。

売り上げは、数量×単価です。転地は単価の戦略です。

稲盛翁がおっしゃるように、「値付けは経営」なんですね。

そして、経営は、付加価値、粗利の分配です。

従業員に分けるか、オーナーが取るか、財務が悪い会社は、金融コストで、金融機関に奉仕しているかです。

余談ですが、労働分配率（人件費÷付加価値、粗利）の高い会社は、人件費率が高いのでさぞかし、優良会社と思いますが、儲かっていない会社が、おおむね、労働分配率が高いですね。

図6　付加価値分解図

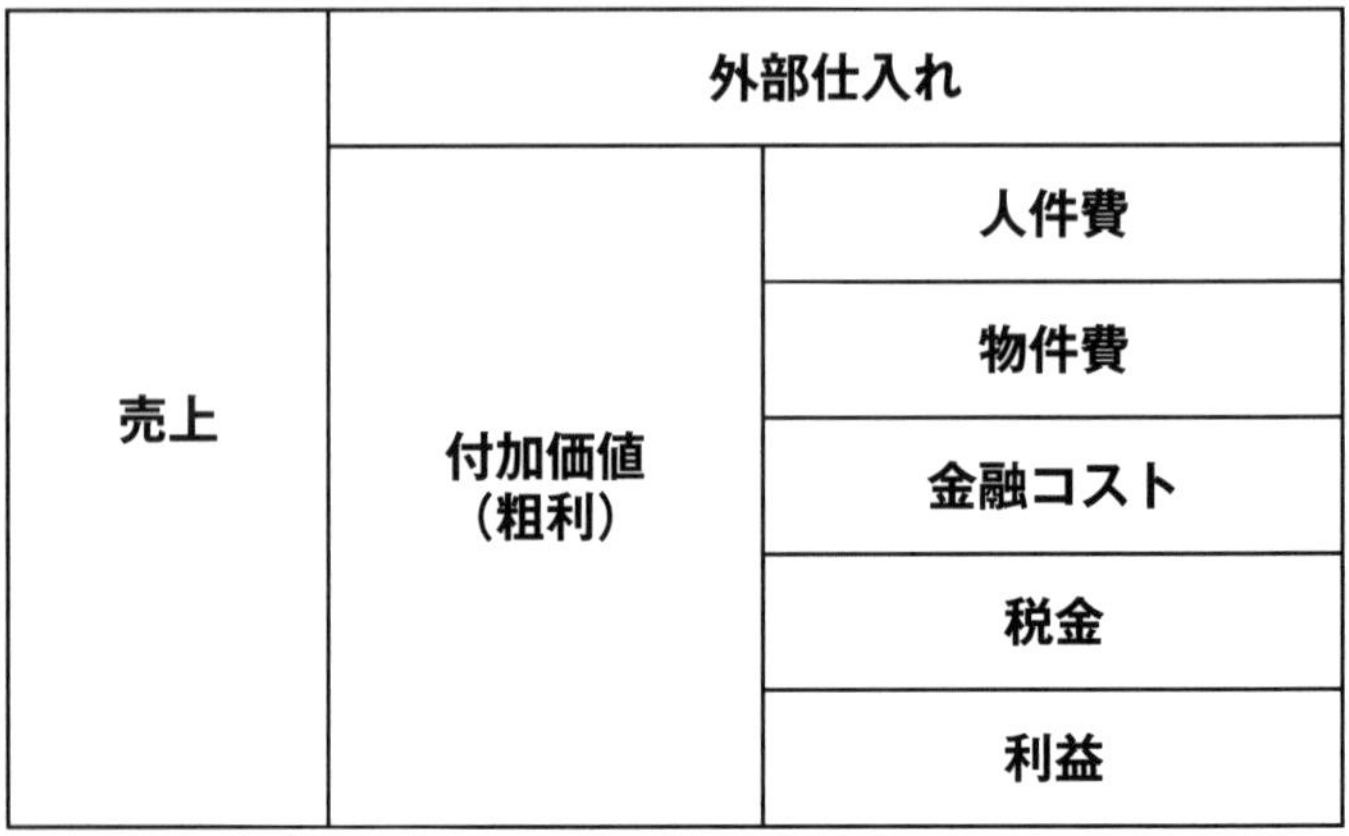

<table>
<tr><td rowspan="6">売上</td><td colspan="2">外部仕入れ</td></tr>
<tr><td rowspan="5">付加価値
（粗利）</td><td>人件費</td></tr>
<tr><td>物件費</td></tr>
<tr><td>金融コスト</td></tr>
<tr><td>税金</td></tr>
<tr><td>利益</td></tr>
</table>

三．中小企業が喫緊で取り組むべき課題

――事業化

私は、オールドビジネスほど勝機あり、としばしばこの経営ノートシリーズでも書いてきました。

中小でもまとまれば、オールドビジネスだって強くなり、利益も改善します。

地方のバス会社をまとめて再生した冨山和彦氏（経営共創基盤ＣＥＯ）は中小を束ねて、事業化することを**密度**の経営（地域内で同業を統合し、地域内シェアを高める）と言ってます。

複数の会社を経営統合して、大規模化しますと、収益力が増します。

例えば、次のような例があります。

食品会社をまとめて、一部上場会社にした、ヨシムラ・フード・ホールディングス（ＨＤ）。

デービッド・アトキンソンさんは、データを基に、小規模企業の多さが日本の生産性の低さの要因と言っています（「規模拡大で弱点を補完　食品業界の異色ベンチャー」、『週刊東洋経済』、二〇一九年一月一九日号、東洋経済新報社）。

地方のお菓子屋さん、お土産屋さんを買収して成長した寿スピリッツ。

「赤字や廃業寸前の事業を手中に収めては、経営をよみがえらせてグループの主力企業に育ててきた手腕は見事です」（「朝礼で褒める、社員を生かす」、『日経ビジネス』、二〇一九年八月一九日号、日経ＢＰ）。

これも東証一部上場会社です。

――ＴＫＰ

半端でないのが、ＴＫＰです。

通称タカピー（ティーケーピー）と河野社長が冗談で言っていましたが、六本木のたった一つの貸会議室から出発して一〇年足らずで、年商約三五五億円です（二〇一九年二月期）。

時価総額だって約一七〇〇億円です（二〇一九年一二月現在）。

これだって、オールドビジネスです。

河野社長によれば、金融出身の経験から、不動産も裁定取引がある、一物一価ではない不動産でも、価格が一物二価だと気づいたのが、この事業の原点でした。

価格のギャップから新規ビジネスの可能性に気が付いたそうです（『起業家の経営革命ノー

ト　ＴＫＰ式成長メソッドの秘密』、河野貴輝著、二〇一七年、ダイヤモンド社から抜粋）。

――安売り競争からの脱却

都会の絞り、地方の拡大。

「地方は品揃え、広域、大商圏でやるなら、単品」これは、コモンルール（共通の原則）です。

現実に大都市圏で、商圏を絞って成功している例が、一番典型的なのは、電気店ですね。

このモデルの先駆けはでんかのヤマグチです。

地域密着にすれば、電球一本だって取り換えに行けますすし、大手量販店と価格の競争を避けられ、棲み分けができます。

顧客をほぼ半分に絞って、再生ができた電気店もあります。

「経営体力のない小さな電気店は価格でなく、サービスで大手と勝負せよ」

というでんかのヤマグチの山口勉社長からのアドバイスで、八王子のライフテクト　イトウという電気店が蘇りました。

「エリアを絞り、サービスで勝負した結果、売り上げが一・五倍、粗利も二割から四割に増加した」

全国展開から、京都府限定に絞った、ロマンライフ社（洋菓子の製造販売）。

当社は、地域限定で商品や店づくりに磨きをかける企業をベンチマークして再生しました。

仕事を一時間以内に絞り、結果下請けから脱却し利益率も向上した塗装会社（菅原塗装工房社）もあります。

ホームページで、地元の個人からの注文が増えたので、結果B‐Cのビジネスができ、利益率が向上し下請けからの脱却ができたと言えます（以上の記事は「特集 顧客を絞り込むのは怖いですか？ 選択と集中が強い会社をつくる」、『日経トップリーダー』、二〇一九年四月号、日経BPから抜粋したものです）。

私は、業種を問わず、コモンルールが通じると思います。

どの業種でもこのモデルは真似ができます。

でも、なぜ皆やらないのだろう？

こんな風に、他人事ながら、イライラするのは、きっと年のせいでしょうね。

だから、年寄りは嫌われる（笑）。

──移動時間のムダ

意外と見落とし勝ちなのが、移動時間です。

商圏を狭くする隠れた効果が実は移動時間の短縮ということもあります。

私の会計業界でもこれが、問題です。

私も昔から、移動時間は短くしろとハッパをかけて来ましたが、効果が思ったほどありませんでした。

「移動時間は唯一私の自分の時間、憩いの場だ」と食ってかかられた経験もありました(笑)。

でも、商圏を絞りますと、自動的に移動時間が減りますよね。

──小売りのディズニーランド化

でもホントにリアルな店舗は大変です。

知り合いの小売屋さんが、苦笑していました。

「自分で売る商品以外は、ほとんど、アマゾンで買っている。

これでは、リアル店舗はダメになるよなー」

オンラインショップは、なんでもありますものね。

一方、ホームセンターは、アミューズメントで集客し、今度できるアメリカの巨大ショッピングモールは、ほとんど、テーマパークです。

テーマパークの中に小売り店がある感じです。

小売りはディズニーランドモデルになりますね。

ディズニーランドの儲けは実は「物販」。百貨店の敵はディズニーランドという話を昔聞いた記憶があります。

でもディズニーランドはいいですよね。パスポートで稼いで、物販でも儲ける。

でも他の小売りは、アミューズメントでお金を取れません。

コストの持ち出しだけです。

ところで、調剤薬局は強いです。

薬を取りに、わざわざ店まで行かないといけませんもんね。

来店したら、ついでにショッピングして行きます。

弁当だって売れます。ドラッグストアは、強いですね。

周りのスーパーはたまったもんではないですが。

――商圏を広げる

地方は品揃えです。真逆です。しかも、商圏が年々小さくなります。

取るべき手段は、転地しかありません。

広域で勝負するか、地域で他業種に行くか？　どちらかです。

他業種への進出は隣接他業種です。それか、周辺業務、周辺地域への進出です。

もっと田舎に行けば、商圏も小さいですが、競争もなく利益率が上がります。

私はいつもシャケを例に挙げていました。シャケは、皮と身の間が一番おいしいと言われています。シャケのどの部分が一番おいしいと思うかをたまに講演などで質問しますと、「身」なんて答えられるとアテがはずれてしまいますが……。

新ネタです。

実はジャガイモも　皮と実の間がおいしいんだそうです。

テレビで知りました。

成城石井のポテトサラダはなぜ人気があるか？

皮を手で剥いています。

機械を使って剥きますと、皮と実の間の旨みが抜けるからだと説明していました。

聞いた話ですが、フランチャイズチェーンのはんこ屋で一番売れているのが石垣島のはんこ屋だそうです。

島で一軒しかなく、独占企業です。

牛丼の吉野家も、ライバル不在で佐渡の店は好調です。

味を占めて、今度は宮古島にも進出しました。

また、クロスセル＊も取りうる戦略です。

＊クロスセルは、

「他の商品などを併せて購入してもらうこと」を意味する。目的は、顧客当たりの売上単価の向上。たとえば、商品の販売時や購入後のフォローアップ時に、関連商品や「この商品を買った人はこんな商品も買っています」といったレコメンドを提示することで、クロスセルを達成できる」（ネットより）

——ステルス値上げ

私的には、モデルは「カレーハウスCoCo壱番屋」、ココイチです。

私も好きでよく行きますが、色々頼むと何が標準価格かわかりません。

「ほぼ毎年値上げ作戦」しても、成功しています。

ステルス値上げです。

単品の外食が値付けで苦労しているのを尻目にです。

――麻生モデル

「昔は地下を掘り（石炭）、戦後は山を掘り（セメント）、現在は人を掘り（医療、福祉、教育）」

これは、私が、キャッチが気に入って残していた昔の雑誌の切り抜きです。

ビジネス環境の変化に対応して生き抜いてきた麻生財閥を評する地元の声だそうです。

麻生財閥は「程々に稼ぎ、機敏に転進するしたたかさが強み」と地元の経済人から評価されてもいます。

私は、地方のロールモデルとして、しばしば変化対応の麻生財閥を例に挙げてきました。

一方ライバルの筑豊の「炭鉱御三家」と並び称された月島家は、「石炭以外に手を出すべからずという家訓を守って没落した」といいます（「したたかに生き抜く「麻生財閥」」、『選択』、二〇〇八年一一月号、選択出版）。

大分前になりますが、私もシニアビジネスに興味がある時代に、地元岩手で勉強会をやっていました。

その時、参加した企業に福祉介護関係の仕事を勧めたことがありました。

でも、あまり動きませんでした（私の影響力のなさですが……（笑））。

まだシニアビジネスは口明けのころでしたので、あの時やっていたら、その会社にとっては大きなビジネスになったろうな、と今でも悔みます。

――地方も外部の血？

少し前に亡くなりました、お金持ちの神様として一世を風靡した経済評論家、邱永漢先生がおりました。

私も生前師事していまして、こんな話を聞いたことがあります。

「全国、商工会議所主催の講演で案内してくれた人に必ず聞くことがあります。ここの商工会議所の会頭さんは、地の人ですか？　それともよそから来た人ですか？　よそから来た人が会頭をつとめている町、市は必ず発展しています」

私は、当時若い時でしたが、なるほどと思った記憶があります。

死ぬほど地元愛の人には怒られるかもしれませんが、地元出身者だけでやっていたら限界がありますよね。

――単一モデルへの依存はやがて失速の憂き目に遭う

これは、私の刷り込みです。

ビジネスモデルのはかなさ、もろさを職業柄、随分見てきました。

どのくらい伸びるのかと思った会社のあっという間の失速、駐車場に入れない大きな車に乗っていて羽振りがいいなと思っていたら、いつの間にか業績不振で、自転車に乗り変えた社長。

どんな業種でも、すぐ競争相手が出てきますので、単一モデルではあっという間に失速します。

上場しても、二段目のロケットが出せない会社も多くあります。

皆解っていて、それなりにチャレンジするのですが、次の一手のハードルが実に高い。

でも、「単一モデルへの依存はやがて失速の憂き目に遭う」事実は、都市圏、地方どちらの企業を問わず、真実です。

――ストレッチ

単一モデルからの脱却は、ストレッチが現実的です。

世界最大のホテルチェーン、ヒルトングループでさえ、
①従来のフランチャイズでのフィービジネスの促進
②ホテルのＲＥＩＴ化
③別荘のタイムシェア
と、ヒルトンの世界で通用するブランド力を生かして、ビジネスのストレッチ化をはかっています（「ヒルトン・ワールドワイド・ホールディングス　世界最大級のホテルグループ」、『週刊エコノミスト』、二〇一八年一一月二七日号、毎日新聞出版）。

でも一番肝心なのは、社長自身の気持ちのストレッチです。

私の過去の経験でも、結構頑固で成功モデルにこだわる社長さんが多いですものね。

――デジタル化企業への転地

既存の企業では、したくてもできにくいのが、デジタル発信、デジタル化企業への転地です。デジタル化によって収益モデルが生まれ変わるのも目の当たりにしてきました。実際弊社でもあまりうまく行ってませんしね。若いスタッフにやらせようとしても、現状に満足してたりして……(笑)。ですから、これを書くのは、推測、願望かな?

――ドイツだってデジタル化に苦戦

EUの優等生ドイツもデジタル化の変身に遅れて、経済が悪いですものね。自動車産業も、EVに後れを取っています(EVのテスラが、ドイツ進出です。EUでは初上陸です。ドイツを選んだテスラの理由は、やはり既存の自動車の技術力だと言います。成果に注目です)。

日本も他人事ではないですよね。

国の勝負もデジタル化が、ポイントではないでしょうか?

イ　デジタル化への変身は、

デジタルマーケティング↓SNS
デバイス、ツール↓スマホ

これの徹底活用です。

ロ　デジタルに強い企業は、対面の営業力も抜群

デジタルとアナログは両輪なんですね。

最近気が付き、ハッとしました。

ハ　動画、インスタ、SNSの活用

ニ　引っ越しのアップル

記事の抜粋です。

「競争の激しい、引っ越し業界で、首都圏の単身者に特化し、スマホで申し込みと徹底して、ＩＴの利用で人手不足を乗り切り成長している会社」(「引っ越しのアップル　逆張り事業革新人手不足はＩＴで乗り越える！」、『日経トップリーダー』、二〇一九年四月号、日経ＢＰ)

面白そうだったので、文字社長に講演依頼しましたが、見事断られました。

残念！

ホ　ファン作り

これも、ＳＮＳからのデジタル発信で可能です。

ファンとの共創、これだと「いいね！のお客さん」だけで、やっていけます。

①「ケイ・オプティコム　格安スマホ事業者　ユーザー囲い込みの極意」（『日経ビジネス』、二〇一九年三月二五日号、日経ＢＰ）

当社のファンが、お客さんを紹介してくれる、これぞ究極のマーケティングです。

競争の激しい業界での生き残りのヒントです。

②「スノーピーク アウトドア用品大手　熱狂顧客が生む相乗効果」（『日経ビジネス』、二〇一九年四月一五日号、日経ＢＰ）

なんとファンと経営幹部が模擬発表会をやるほどだそうです。

へ　ハイサービス化

これで、「サービスでの差別化」が可能です。

私は、東京ですが、タクシーに乗ってみて、大手と中小の格差にびっくりします。勝負ついたな？と、思いますね。

規模の格差とハイサービス化（サービス格差）、デジタル時代は可能だと思っています。

ト　スピード

もう一つのキモは、**スピード**ですね。

スピードは規模に勝るとも言われています。

「柔よく剛を制す」*は、スピードが強さに勝る例です。

でも最近は、違います。

剛は、柔も兼ね備えています。だから、強い。

昔は大男は、動かなかったものね。バスケットボールでも、ただネットの下で突っ立っているだけで、送られてきたボールをネットに入れるだけでした。

でも今は違う、大男が俊敏です。

すると、体力に劣るほうは負けちゃいます。あらゆるスポーツでその傾向が顕著になりました。


ビジネスに置き換えて見ましょう。

大会社がスピードを備えたら？

中小はかないません。

近い将来、大企業も俊敏性、スピードを備えて来るはずです。

デジタルシフトは、それを加速します。

中小は大企業よりもっと頑張らなきゃなりません。

＊「柔よく剛を制す」とは、古代中国の老子の思想を基調に書かれたと言われる『三略』の中の有名な一節です。意味は「柔軟性のあるものが、そのしなやかさによって、かえって剛強なものを押さえつけることができる」ということです。柔道の技では、相手の力を巧みに利用し、小さい人でも大きい人を豪快に投げ飛ばすことができます。（ネットより）

チ　ロセオ株式会社

私は、スマホ時代は、他人の資産の利用（究極のアセットライト）もビジネスになると考えます。

「他人のふんどしモデル」です（少し品がありませんね）。

テレビ（『がっちりマンデー!!』、二〇一九年九月二二日放送、ＴＢＳテレビ）でやっていましたが、ジムの会費制をやめ、時間チャージだけにする、しかも自分でジムを所有せず、他社のジムを時間借りするモデルです。

提携ジムの数が増えれば増えるだけ、利用者の利便性が増します。

貸すジム側も固定費の回収になりますし、ウインウインの関係が築けます。

面白かったのは、受付直後からチャージされますから、着替えもチャージされます。

ですから、ものすごい勢いで、着替えをしますね。人間の心理っておもしろいですね。着替え時間は急いでもチャージは大したことがないんでしょうけど。

リ　逆転のコストマネジメント

①新興国モデルは、価格を下げるコストマネジメントが主流でした。
でも成熟国モデルは、価格を上げることが、新しいコストマネジメントではないか？（「学者が斬る・視点争点 新しいコスト・マネジメントとは」、高橋賢横浜国立大学教授著、『週刊エコノミスト』、二〇一九年四月二日号、毎日新聞出版）これも、課題です。

予約の取れない寿司屋を見るにつけ、つくづくプライスレスの商売が理想です。
②エッジを効かす！
昨年の経営ノートでは、オリジナリティを取り上げました。
「ファンでもない人たちの声に耳をかさない」（『オリジナリティ 全員に好かれることを目指す時代は終わった』、本田直之著、二〇一七年、日経ＢＰ）
これが、私の気にいったフレーズでした。

一人の熱狂的ファンをお客さんにすることは、九九人のアパシー（無関心層）をお客さんにするよりマシという時代かもしれません。

政治だって、トランプ大統領はコアな熱狂的ファンしか見ていませんものね。

――やっぱりコト！

「コマツのコムトラックス」を待つまでもなく、「製造業もサービス化した企業ほど、成功している」と言われてから、大分経ちますね。

モノよりコトで稼げ！

理屈はそうですが、実行はとても大変です。

図7・8を見てください。

ソニーとパナソニックの業績です。

ソニーは断然、リードしています。

図表を見ると歴然としますが、ソニーの稼ぎはほとんど金融、ソフトです。

モノ（ハード）ではありません。半導体は儲かっていますが、スマホ（Xperia（エクスペリア）

が赤字で実質モノでは稼いでいません。もうメーカーの部分は小さくなりました。

一方、パナソニックは、どうでしょうか?

すべて、モノ製造業の売上です。テスラ用リチウムイオン電池の苦戦を伝えられますが、いまだモノ売りなのですね。

――私の記憶のソニーとパナソニック（松下電器）

私の仕事の人生で、ソニーとパナソニックは、体にしみ込んだ言わば、両輪です。

松下幸之助翁の本も読みましたし、盛田さんも大好きでした。

また、両社の現在の姿が大きく変わったのも、個人的にとても興味があります。

私の記憶をたどりながら、なぜ、両社の路線が変わったのか?

アナログ的にたどってみますね。


「「東芝は未来の商品を作る、日立は明日の商品を作る、松下は今日の商品を作る」だから、松下が一番儲かる」

私の会計士としての、初めての仕事が東芝系の監査の小間使いでした。

			2018			
増減値 (増減率)	営業利益	増減値 (増減率)	売上高	増減値 (増減率)	営業利益	増減値 (増減率)
2940 (17.8%)	1,775	419 (30.9%)	23,109	3671 (18.9%)	3,111	1336 (75.3%)
1523 (23.5%)	1,278	520 (68.6%)	8,075	75 (0.9%)	2,325	1047 (81.9%)
1080 (12.0%)	411	1216 (151.1%)	9,869	-242 (-2.4%)	546	135 (32.8%)
1837 (17.7%)	858	273 (46.7%)	11,554	-673 (-5.5%)	597	-261 (-30.4%)
763 (13.2%)	749	276 (58.4%)	6,705	146 (2.2%)	840	91 (12.1%)
-354 (-4.7%)	-276	0 (0%)	4,980	-2257 (-31.2%)	-971	-695 (-251.8%)
769 (9.9%)	1,640	1718 (2202.6%)	8,793	293 (3.4%)	1,439	-201 (-12.3%)
1409 (13.0%)	1,789	125 (7.5%)	12,825	541 (4.4%)	1,615	-174 (-9.7%)
-433 (-9.3%)	-235	61 (20.6%)	3,457	-615 (-15.1%)	-111	124 (52.8%)
-126 (-4.4%)	-641	230 (26.4%)	-2,710	278 (9.3%)	-747	-106 (-16.5%)
9407 (12.4%)	7,349	4462 (154.6%)	86,657	1217 (1.4%)	8,942	1593 (21.7%)

			2018			
増減値 (増減率)	営業利益	増減値 (増減率)	売上高	増減値 (増減率)	営業利益	増減値 (増減率)
850 (3.4%)	1,044	55 (5.6%)	27,506	1622 (6.3%)	859	-185 (-17.7%)
762 (4.9%)	725	83 (12.9%)	20,361	4126 (25.4%)	646	-79 (-10.9%)
681 (6.5%)	1,057	553 (109.7%)	11,277	84 (0.8%)	944	-113 (-10.7%)
3869 (16.0%)	914	-1.6 (-1.7%)	29,831	1796 (6.4%)	564	-350 (-38.3%)
15 (0.2%)	108	28 (35.0%)	3,095	-3664 (-54.2%)	14	-94 (-87.0%)
6177 (7.5%)	3,848	703 (22.4%)	88,975	869 (1.0%)	3,013	-835 (-21.7%)
208 (2.4%)	-43	334 (88.6%)	-12,043	-3759 (-45.4%)	1,088	1131 (2630.2%)
6385 (8.7%)	3,805	1037 (37.5%)	80,027	205 (0.3%)	4,115	310 (8.1%)

図7　ソニーの業績推移

ソニー	2016		2017
	売上高	営業利益	売上高
ゲーム・ネットワークサービス	16,498	1,356	19,438
音楽	6,477	758	8,000
映画	9,031	-805	10,111
ホームエンターテイメントサウンド	10,390	585	12,227
イメージング・プロダクツソリューション	5,796	473	6,559
モバイル・コミュニケーション	7,591	-276	7,237
半導体	7,731	-78	8,500
金融	10,875	1,664	12,284
その他	4,505	-296	4,072
全社共通及びセグメント間取引消法	-2,862	-871	-2,988
連結（計）	76,033	2,887	85,440

図8　パナソニックの業績推移

パナソニック	2016		2017
	売上高	営業利益	売上高
家電エアコン事業など	25,034	989	25,884
ライティング・エナジーシステムなど	15,473	642	16,235
モバイルソリューションなど	10,512	504	11,193
車載エレクトロニクスなど	24,166	930	28,035
その他	6,744	80	6,759
合計	81,929	3,145	88,106
消法・調整	-8,492	-377	-8,284
連結決算	73,437	2,768	79,822

もう五〇年近く前のことです。その時、パートナーから聞いた言葉です。

当時はソニーは問題外の会社でした。


ソニーの盛田さんは、ニューヨークで、プルデンシャルのビルを見て、こんなビルができるんなら「保険会社」を作ろうと思った。

最初の外資の保険は確か、ソニー・プルーデンシャル生命でしたかね。

今は、ソニーの稼ぎ手で、しかも金融部門のルーツです。

余計なことですが、最初に長期平準保険の売り方をアドバイスしたのが、私ではないかと思います（拙著『生命保険物語　生保で死ぬほど得する本 改訂版』（一九九七年、エヌピー通信社）にそのいきさつを書いています）。

長期平準保険を知った時、瞬間的にこれは節税になると思っていました。

ちなみに私の四〇代の出版物は、皆題名に「節税」がついていました。

今は昔の話です。

——経営の神様も奥さんには頭が上がらなかった

これは確か本で知りました。

娘婿の松下正治氏を外せという、当時の側近に、松下翁は、「おかあちゃんが、ダメなんだ」と答えたというのです。

娘の婿さんですから、奥さんが娘がかわいそうでそう言ったといいます（『ドキュメントパナソニック人事抗争史』、岩瀬達哉著、二〇一六年、講談社）。

それが、後継者問題が迷走した原因だとこの本は指摘していました（孫の松下正幸氏は、とうとうパナソニックから去りました（二〇一九年六月）。完全に創業家は残っていません。経営の神様でも三代もたないんですね）。

——ソニー、松下共、映画会社を買収

・ソニー（株式会社ソニー・ピクチャーズ エンタテインメント（Sony Pictures Entertainment (Japan) Inc.））→コロンビア映画を買収

・パナソニック→Universalを買収。しかし、売却

ソニーはエンタメ部門も収益の柱です。

でも、パナソニックはソフトから撤退しました。
「売らなくてもいいのに」と誰かが言っていたのが記憶に残っています。

——尾上縫（おのうえ ぬい）事件

「ナショナルリース」の破綻。
当時の興銀を巻き込んだ、メディアをにぎわした事件でした。
一説には、尾上さんは、松下幸之助の愛人説も流れたりしましたものね。
これが、パナソニックの金融のトドメではなかったかな？
以上、私の推測というより、邪推です。
人間模様で、あんな巨大会社でも、会社の路線が変わるんですね。
ちょっとしたことで、人生も変わりますが、大きな歴史だって変わります。
例えば……。
①一九三〇年代の大恐慌
ベンジャミン・ストロングの死（連銀総裁で抜群の統率力があった）
彼の死によって、大恐慌が収束できなかった。

ミルトン・フリードマン曰く、

「かくも大きな出来事がかくも小さな原因でおこるものなのか」
②平清盛
頼朝を殺そうとしたが、継母が愛らしい頼朝を見て、亡くした息子を思い出し、清盛に助命歎願をする。伊豆に流す。

義経、鞍馬寺に預ける。

これが、平家滅亡の遠因?（『日本国紀』、百田尚樹著、二〇一八年、幻冬舎より）

――マクロにだまされるな！↓あなたの会社のシェアは何パーセント?


「豊年の凶作、凶作の豊年ということもある」（本間宗久）

余談ですが、やたらマクロの話をする社長さんがいます。

例えば、人口減とか、不況業種だとかよく言いますよね。

でも、いつも言い続けているのは、「マクロにだまされるな！」です。

自社のシェアが大したことがないんだったら、あまり、景気とかのマクロは関係ないですよね。

個々で考え、行動すると、必ず結果がでます。

大昔、豆腐屋の親父で、世界の大豆市場の話にやたら詳しかった人がいました。感心して聞いていました。

でも、豆腐屋は閉店しましたものね。

私の経営ノートでも、「残存者利益を取りに行け！」と書いたことがあります。知り合いの不動産鑑定士さんが、それを実践し「やはりそうですね、本郷さん」と言われた時は、やはり読者がいるんだとうれしかったことを覚えています。

終わりにあたって――新しい西部開拓史

――①いいね！ワールドにもリーチを！

経営ノートの二〇一九年のテーマは、いいね！ワールドでした。

新しい西部開拓史が始まると書きました。

また、いいね！経済の市場規模は、未確認ですが、ある雑誌に五〇兆円と書いていました。

すると、日本のGDPの一〇％です（図9）。

大きな規模ですね。

この経済圏に先手必勝で参入する。

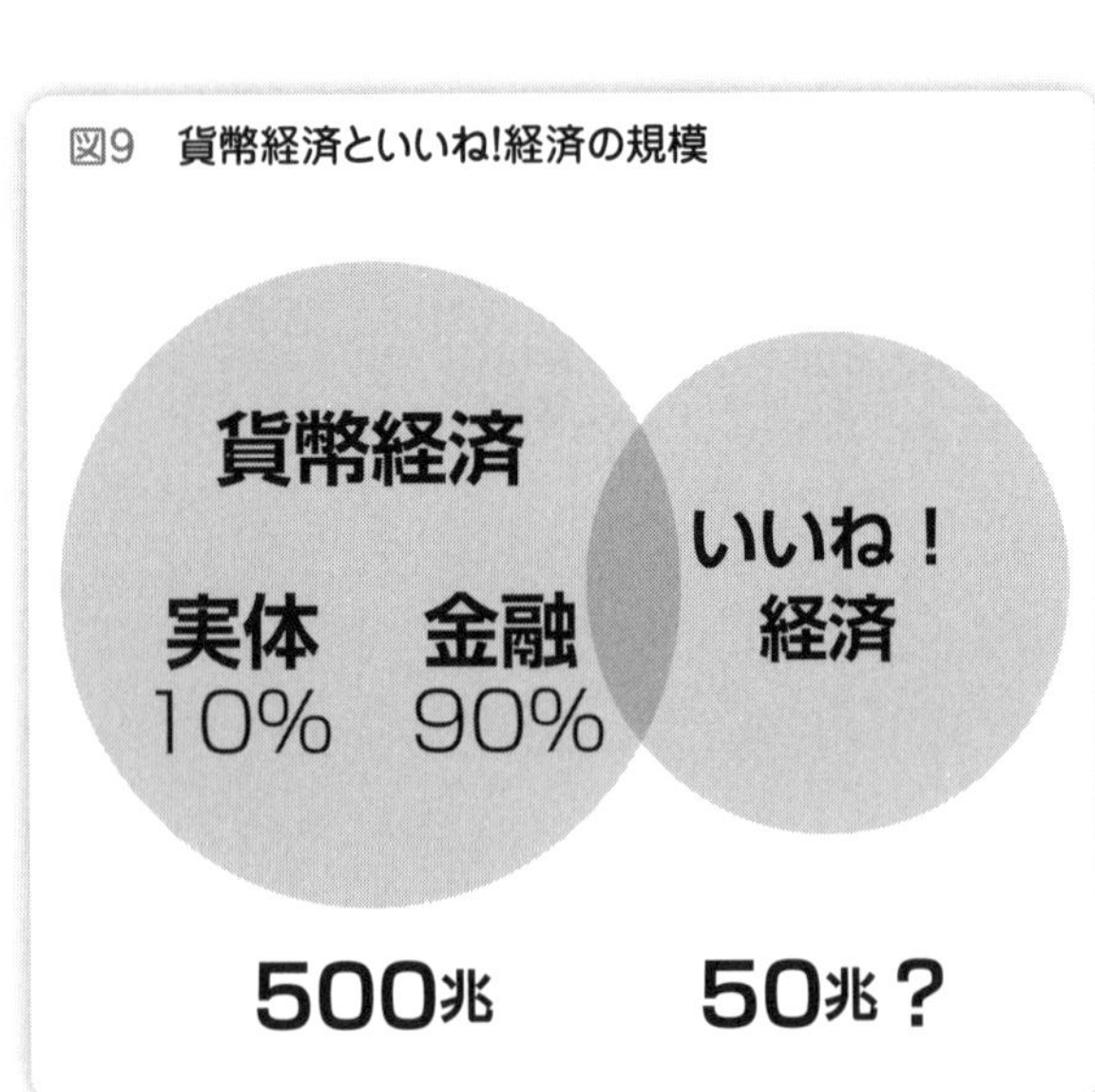

図9　貨幣経済といいね！経済の規模

②いいね！ワールドのポイント

さて、いいね！ワールドのポイントを列挙します。

・「貨幣経済」から人々の「共感」を中心とした経済へ
・「市場資本主義」から、「共有型経済」へ
・影響力はお金に変わる！
・クリプトエコノミクス（暗号学と経済学）
・仮想通貨を軸とした、トークンエコノミー
・仮想通貨は、「反国家」ではない、「非国家」である（『暗号通貨VS.国家 ビットコインは終わらない』、坂井豊貴著、二〇一九年、ＳＢクリエイティブ）

③いいね！経済の特徴

1　フラット化、民主化
2　自律分散
3　お金∧影響力
4　規模∧イメージ、格付け

――④変わるビジネス、変わる人間

ビジネスもガラッと変わります。

コミュニケーションはＳＮＳ、インフラはブロックチェーン、デバイスはスマホ、そして、重要な決済手段は、仮想通貨です。

そして、人間の行動、価値観も変わります。

アメリカでも、現状満足の世代が増えていると言います。

「『現状維持を望む』人々が多くなった。

その結果、アメリカのフロンティア精神が無くなりつつある」（『大分断（The complacent class）　格差と停滞を生んだ「現状満足階級」の実像』、タイラー・コーエン（Tyler Cowen）著、二〇一九年、ＮＴＴ出版）

所得に関係なく、底辺の人でもそうらしいです。

アメリカお前もか？　という感想です。

現状満足世代が増えて、特に二〇代は八割ぐらいが現状に満足している、という調査を少し前ですが、日本の内閣府が発表しています。

どこも同じなんですね。

こんな現象なんかも、いいね!ワールド、新しい社会ができると考えた方がよさそうです。

ですから、こんな現状を考えますと、雇用も、ビジネスも、ガラガラポンでリセットして、再構築する。

けっこう喫緊の経営者の課題かもしれません。

――⑤マッチング

SNSで自分の臓器を提供する人が出てきました。

無償でです。

今まででしたら、貨幣に換算されたものがです。

GDPにカウントされない、しかも満足を提供することができる時代でもあります(「姿なき富を探る(4)「マッチング」1万人救う　お金で測れぬ幸福=価値」、『日本経済新聞』、二〇一九年九月二〇日)。

これを見ても、貨幣経済はすべてではないということがわかります。

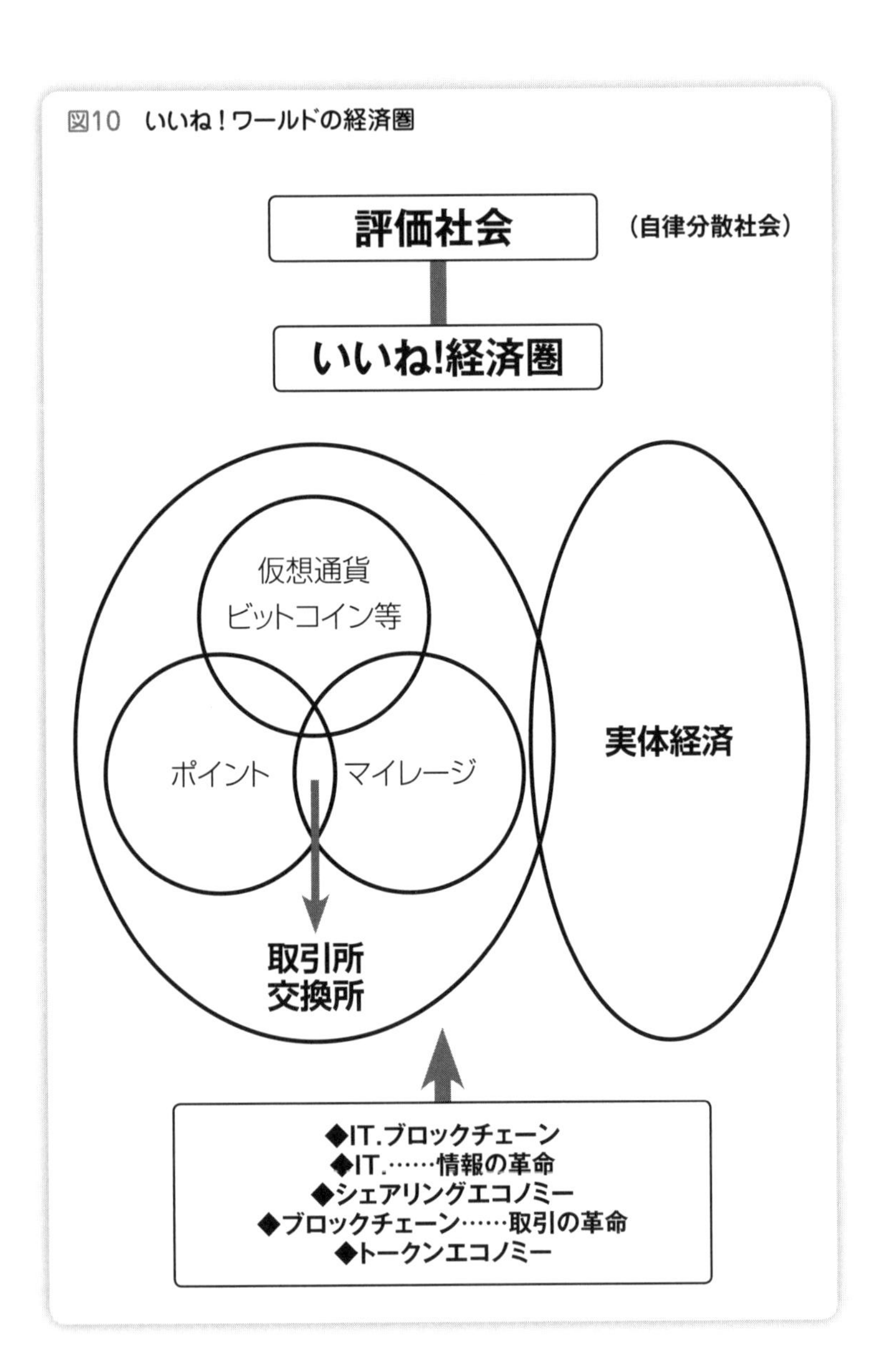
図10　いいね！ワールドの経済圏
評価社会
（自律分散社会）
いいね!経済圏
仮想通貨
ビットコイン等
ポイント
マイレージ
実体経済
取引所
交換所
◆IT.ブロックチェーン
◆IT.……情報の革命
◆シェアリングエコノミー
◆ブロックチェーン……取引の革命
◆トークンエコノミー

――⑥見えてきたいいね！ビジネス→ビジネスはトークンエコノミーから

でも、昨年はバーチャルでした。でも、今年は見えてきました。いいね！ビジネスが。

まず、このビジネスは、仮想通貨からはじまるだろうな？と思っていましたが……。

シンガポール発で、「仮想通貨での資金調達、発行した仮想通貨は、仮想通貨取引所に上場する。そして、仮想通貨を発行した会社のビジネスが上手くいきますと、発行した仮想通貨の交換価値もあがります。

すると通貨を購入した人は、割と短期間にキャピタルゲインが得られる。

こんなビジネスモデルです。

ＩＰＯを目指す株式の購入は、ＩＰＯまで時間がかかりますからね。

このモデルですと、短期間に投資家は利益を得られます。

このやり方で、やりたいという話を、複数の会社から聞きました。

二〇二〇年は、かなり具体化するんじゃないでしょうか？

私も、シンガポールに観察しに行きます。うさんくさいようですが、見て、実践しないとわかりませんものね。

でも、この現象を見ただけで、ビジネスが大きく変わると思いませんか？

〝Play mining〟(プレイマイニング)

私の親しいゲームのベンチャー企業があります。

その社長は、〝Play mining〟(プレイマイニング)を提唱しています。

仮想通貨の入手は、mining(マイニング)があります。

でも、それには巨額のお金が必要です。普通の人には、仮想通貨で金持ちにはなれないんですね。

ところが、彼が開発したPlay miningは、ゲームをやると仮想通貨が貰えるという逆転の発想です(通常オンラインゲームは、課金されます)。

うまく行くかどうかは、まだわかりませんが、面白い企画です。

二〇二〇年二月　本郷孔洋

【参考文献】（順不同）

・『「陰」と「陽」の経済学　我々はどのような不況と戦ってきたのか』（リチャード・クー著、二〇〇七年、東洋経済新報社）
・『高収益事業の創り方（経営戦略の実践（1））』（三品和広著、二〇一五年、東洋経済新報社）
・「受け入れビジネス　3兆円市場を失うな」（『日経ビジネス』、二〇一九年八月一九日号、日経BP）
・「破竹のワークマン 秘密はエクセル」（『日本経済新聞』、二〇一九年七月九日）
・『デフレとバランスシート不況の経済学』（リチャード・クー著、楡井浩一訳、二〇〇三年、徳間書店）
・「海外中銀で引っ張りだこ　「クー理論」が受ける理由」（リチャード・クー氏インタビュー『週刊東洋経済』、二〇一九年八月三日号、東洋経済新報社）
・『「追われる国」の経済学　ポスト・グローバリズムの処方箋』（リチャード・クー著、川島睦保訳、二〇一九年、東洋経済新報社）
・「世界を揺るがす「MMT」の真実」（浜田宏一氏インタビュー、『週刊ダイヤモンド』、二〇一九年七月二〇日号、ダイヤモンド社）
・「消費増税も量的緩和も愚の骨頂！」（中野剛志著、『FACTA』、二〇一九年八月号、ファクタ出版）

・「（時時刻刻）停電復旧、見通し暗転　東電の甘い目算に苦言次々　千葉、なお26万戸」（『朝日新聞』、二〇一九年九月一三日）
・「東京電力は首都圏を「保守」できない」（『選択』、二〇一九年一〇月号、選択出版）
・「米国経済　〝投資家資本主義〟の行く末　資本市場の虜になったＦＲＢ」（河野龍太郎著、『週刊エコノミスト』、二〇一九年八月一三日・二〇日合併号、毎日新聞出版）
・「不動産投資　急増する単身世帯需要　ワンルームマンションの妙味」（鈴木雅光著、『週刊エコノミスト』、二〇一九年五月二一日号、毎日新聞出版）
・『両利きの経営（The Ambidextrous Organization）「二兎を追う」戦略が未来を切り拓く』（チャールズ・Ａ・オライリー他著、二〇一九年、東洋経済新報社）
・「トップが本気で戦略を立てれば「経営改革」は実現できる」（ネスレ日本社長兼ＣＥＯ　高岡浩三氏インタビュー、『ＴＨＥ２１』、二〇一九年四月号、ＰＨＰ研究所）
・「高収益は事業立地で決まる」（三品和弘著、『週刊東洋経済』、二〇一五年九月一二日号、東洋経済新報社）
・「「規模」と「優位」の経営戦略」（三品和弘著、『週刊東洋経済』、二〇一七年一二月二日号、東洋経済新報社）
・「高収益率を生む４つの強さ」（『日経ビジネス』、二〇一九年六月三日号、日経ＢＰ）

・『持たざる経営の虚実　日本企業の存亡を分ける正しい外部化・内部化とは?』(松岡真宏著、二〇一九年、日本経済新聞出版社)
・「勃興する投げ銭型ライブ配信市場　トークや歌で視聴者魅了　芸能事務所を中抜きに」(『日経ビジネス』、二〇一九年九月二三日号、日経BP)
・「規模拡大で弱点を補完 食品業界の異色ベンチャー」(『週刊東洋経済』、二〇一九年一月一九日号、東洋経済新報社)
・「朝礼で褒める、社員を生かす」(『日経ビジネス』、二〇一九年八月一九日号、日経BP)
・『起業家の経営革命ノート　TKP式成長メソッドの秘密』(河野貴輝著、二〇一七年、ダイヤモンド社)
・「特集 顧客を絞り込むのは怖いですか? 選択と集中が強い会社をつくる」(『日経トップリーダー』、二〇一九年四月号、日経BP)
・「したたかに生き抜く「麻生財閥」」(『選択』、二〇〇八年一一月号、選択出版)
・「ヒルトン・ワールドワイド・ホールディングス　世界最大級のホテルグループ」(『週刊エコノミスト』、二〇一八年一一月二七日号、毎日新聞出版)
・「引っ越しのアップル　逆張り事業革新人手不足はITで乗り越える!」(『日経トップリーダー』、二〇一九年四月号、日経BP)

・「ケイ・オプティコム 格安スマホ事業者 ユーザー囲い込みの極意」(『日経ビジネス』、二〇一九年三月二五日号、日経BP)
・「スノーピーク アウトドア用品大手 熱狂顧客が生む相乗効果」(『日経ビジネス』、二〇一九年四月一五日号、日経BP)
・「学者が斬る・視点争点 新しいコスト・マネジメントとは」(高橋賢横浜国立大学教授著、『週刊エコノミスト』、二〇一九年四月二日号、毎日新聞出版)
・『オリジナリティ 全員に好かれることを目指す時代は終わった』(本田直之著、二〇一七年、日経BP)
・『ドキュメント パナソニック人事抗争史』(岩瀬達哉著、二〇一六年、講談社)
・『日本国紀』(百田尚樹著、二〇一八年、幻冬舎)
・『暗号通貨VS.国家 ビットコインは終わらない』(坂井豊貴著、二〇一九年、SBクリエイティブ)
・『大分断(The complacent class) 格差と停滞を生んだ「現状満足階級」の実像』(タイラー・コーエン(Tyler Cowen)著、池村千秋訳、二〇一九年、NTT出版)
・「姿なき富を探る(4)「マッチング」1万人救う お金で測れぬ幸福=価値」(『日本経済新聞』、二〇一九年九月二〇日)

敬称略

〈著者プロフィール〉
本郷 孔洋（ほんごう よしひろ）
公認会計士・税理士

辻・本郷 グループ会長。辻・本郷 税理士法人前理事長。

早稲田大学第一政経学部卒業、同大学大学院商学研究科修士課程修了。公認会計士登録。

辻・本郷 税理士法人を設立し、理事長としてスタッフ1000名、顧問先数10000社の国内最大規模を誇る税理士法人へと育て上げる（現在はグループ全体でスタッフ総数1700名、顧問先13000社）。会計の専門家として会計税務に携わって30余年、各界の経営者・起業家・著名人との交流を持つ。2016年より現職。

東京大学講師、東京理科大学講師、神奈川大学中小企業経営経理研究所客員教授を歴任。「税務から離れるな、税務にこだわるな」をモットーに、自身の強みである専門知識、執筆力、話術を活かし、税務・経営戦略などの分野で精力的に執筆活動をしている。近著に『経営ノート2019』『資産を作る！資産を防衛する！』（いずれも東峰書房）ほか著書多数。

本郷孔洋の経営ノート2020
～バランスシートで稼ぎなさい～

2020年2月19日　初版第1刷発行

著者　本郷孔洋
発行者　鏡渕 敬
発行所　株式会社 東峰書房
〒150-0002 東京都渋谷区渋谷3-15-2
電話　03-3261-3136　FAX　03-6682-5979
https://tohoshobo.info/
装幀・デザイン　小谷中一愛
印刷・製本　株式会社 シナノパブリッシングプレス

ISBN 978-4-88592-202-2 C0034
Printed in Japan

[東峰書房 × 本郷孔洋の書籍]

本郷孔洋の経営ノート

本郷孔洋の経営ノート2011
～今を乗り切るヒント集～
本体1400円+(税)　ISBN:9784885921254

本郷孔洋の経営ノート2012
～会社とトップの戦略的跳び方～
本体1600円+(税)　ISBN:9784885921353

本郷孔洋の経営ノート2013
～残存者利益を取りに行け！～
本体1400円+(税)　ISBN:9784885921490

本郷孔洋の経営ノート2014
～資産防衛の経営～
本体1400円+(税)　ISBN:9784885921629

本郷孔洋の経営ノート2015
～3年で勝負が決まる!～
本体1400円+(税)　ISBN:9784885921667

本郷孔洋の経営ノート2016
～常識の真逆は、ブルーオーシャン～
本体1400円+(税)　ISBN:9784885921766

本郷孔洋の経営ノート2017
～大航海時代のビジネスチャンス～
本体1400円+(税)　ISBN:9784885921865

本郷孔洋の経営ノート2018
～経営者に不可欠な、2つの眼～
本体1400円+(税)　ISBN:9784885921902

本郷孔洋の経営ノート2019
～いいね！ワールドと個店経営の時代～
本体1400円+(税)　ISBN:9784885921964